Contos e Lendas
NÓRDICOS

PandorgA

Direção Editorial
Silvia Vasconcelos

Produção Editorial
Juliana Santoros Miranda

Tradução
Fátima Pinho
Juliana Garcia

Preparação e Revisão
Fernanda R. Braga Simon

Capa e Projeto gráfico
Lumiar Design

Texto de acordo com as normas do Novo Acordo Ortográfico da Língua Portuguesa (Decreto Legislativo nº 54, de 1995)

Dados Internacionais de Catalogação na Publicação (CIP)
Ficha elaborada por: Vagner Rodolfo da Silva - CRB-8/9410

M156c Mackenzie, Donald A.
Contos e lendas / Donald A. Mackenzie, Carl Christian Rafn, J. Jakobsen ; traduzido por Fátima Pinho, Juliana Garcia. - Cotia, SP : Pandorga, 2020.
244 p. ; 14cm x 21cm.

ISBN: 978-85-8442-467-2

1. Literatura. 2. Contos. 3. Lendas. I. Rafn, Carl Christian. II. Jakobsen, J. III. Pinho, Fátima. IV. Garcia, Juliana. V. Título.

2020-231 CDD 890
CDU 82-34

Índices para catálogo sistemático:

1. Literatura 890
2. Literatura Diversos 82-93

2020
IMPRESSO NO BRASIL
PRINTED IN BRAZIL
DIREITOS CEDIDOS PARA ESTA EDIÇÃO À
EDITORA PANDORGA
Rodovia Raposo Tavares, km 22
Granja Viana – Cotia – SP
Tel. (11) 4612-6404

www.editorapandorga.com.br

SUMÁRIO

LENDAS [211]

CURIOSIDADES NÓRDICAS [237]

APRESENTAÇÃO

Se existe um gênero que capturou a imaginação das pessoas em todas as esferas da vida e em todo o mundo é o dos contos de fadas. Se pensarmos nas primeiras histórias que lembramos ter ouvido quando crianças, nas primeiras imagens mágicas que construímos em nosso imaginário, lá estão eles.

O gênero dos contos de fadas está dentro do domínio geral do folclore, ou seja, das histórias do povo. Não é à toa que muitos contos de fadas são chamados de "contos populares" e são atribuídos à tradição oral, às vezes nem tendo um autor atribuído. Ainda que algumas histórias se deem dentro de um ambiente real ou retratem príncipes e princesas, os contos não têm caráter elitista e são conhecidos em todos os estratos sociais.

Princesas, rainhas, madrastas, monstros, elfos, gigantes, todos criam uma ponte entre o passado mitológico e a realidade da Europa pré-industrial. A sabedoria acumulada do passado é depositada nos contos e transmitida a nós pelo simbolismo. Todo esse imagético simbólico ganha vida por meio de imagens fortes e motivos recorrentes (maçãs, espelhos, perfumes, florestas, espinhos, anéis e sapos), que muitas vezes evocam sensações no próprio corpo do leitor, dando asas à imaginação.

Se pensarmos nos contos de fadas como um mapa, provavelmente dois lugares virão à mente em um primeiro momento: a França, com Charles Perrault durante o século XVII, e a Dinamarca, com Hans Christian Andersen, em meados do século XIX. Andersen é, indiscutivelmente, o mais conhecido de todos os escritores escandinavos, e seus contos e histórias são algumas das obras mais amplamente traduzidas no mundo.

Ainda no âmbito da história popular e da prática do "*storytelling*", ou seja, contar histórias, temos neste volume algumas lendas vindas do Norte.

Durante as longas noites escuras de inverno, a narrativa era a principal forma de entretenimento da região. Cada cultura promoveu seus contos e lendas, que foram passados de geração a geração ao longo dos séculos. Na Escandinávia, as lendas são, até hoje, parte importante da cultura local. Na Islândia, por exemplo, grande parte da população diz acreditar nos elfos – ou ao menos não nega a existência deles –, e existe também um forte ramo do turismo relacionado ao folclore e a lugares que essas criaturas sobrenaturais habitariam.

Elfos, *trolls*, monstros: será que eles existem mesmo? Neste volume, você terá contato com algumas das mais fascinantes histórias populares nórdicas e poderá decidir entre acreditar ou não.

AUTORES, COMPILADORES E TRADUTORES

PETER CHRISTEN ASBJØRNSEN

Escritor norueguês, Asbjørnsen (1812-1885), juntamente de Jørgen Engebretsen Moe, foi um grande pesquisador do folclore da Noruega. Dificilmente Asbjørnsen e Moe são citados separadamente, tamanha a ligação entre ambos, que se conheceram ainda adolescentes e, depois, dividiram a pesquisa de lendas e contos de fadas ao longo de toda a vida.

Aos vinte anos, em 1832, Asbjørnsen iniciou suas pesquisas sobre contos e, dois anos depois, em 1834, descobriu que Moe também havia começado a coletar histórias do folclore norueguês. Então, a partir daquele momento, ambos passaram a produzir em parceria, algo que caracterizou fortemente os seus legados.

Asbjørnsen era zoólogo por formação e, de certa forma, esse lado relacionou-se com a sua atividade literária e de pesquisa. Estudou na Universidade de Oslo e chegou a ser nomeado "mestre da floresta", em razão de seu ativismo: obrigou o governo norueguês a buscar a solução para o desflorestamento. Foi enviado para pesquisar as costas litorâneas da Noruega e, anos depois, para diversos países nórdicos, a fim de conhecer métodos de preservação ambiental. Nessas jornadas, foi coletando histórias que se tornaram contos.

O autor publicou a coleção *Contos populares noruegueses* (título original: *Norske Folkeeventyr*), entre 1842 e 1843, considerada, em seu lançamento, a contribuição mais valiosa para a mitologia e a literatura da cultura nórdica e muito bem recebida na Europa, em geral. Em 1844, foi publicado o segundo volume da obra; em 1845, Asbjørnsen lançou um de seus poucos trabalhos sem o auxílio de Moe, *Huldre-Eventyr og Folkesagn*; e, em 1871, foi lançada uma nova coleção de contos noruegueses.

Em 1876, Asbjørnsen se aposentou em sua função de zoólogo. Anos depois, em 1879, vendeu sua coleção de espécimes para o Museu de História Natural da Irlanda e, em 1885, faleceu no mesmo local em que nasceu: Christiania, a atual cidade de Oslo.

JØRGEN ENGEBRETSEN MOE

Folclorista, escritor e bispo da Noruega, Moe (1813-1882) ficou mais conhecido justamente pelo compilado de contos noruegueses *Norske Folkeeventyr*, feito em coautoria com Asbjørnsen.

Jørgen Engebretsen Moe nasceu na cidade de Hole, no distrito norueguês Ringerike, e faleceu em Christiania (atual Oslo, capital da Noruega). Conheceu Asbjørnsen na escola, no período do Ensino Médio, sendo que, desde aquela época, ambos já nutriam um interesse comum em folclore.

Assim como Asbjørnsen, Moe viajou por regiões da Noruega, sobretudo para o sul, em 1841, e coletou histórias, costumes e tradições populares que, mais tarde, se tornaram contos.

Outra semelhança entre ambos foi o fato de que suas profissões originais – Asbjørnsen era zoólogo, e Moe, teólogo – conectaram-se, de algum modo, com o trabalho de pesquisa dos contos noruegueses. Moe tornou-se professor de teologia da Academia Militar da Noruega em 1845 e, como tinha o desejo de ser sacerdote, iniciou-se na Igreja em 1853 e por dez anos foi capelão residente em duas igrejas da comuna norueguesa de Sigdal.

Era nas paróquias que Moe encontrava inspiração para compor muitos de seus poemas famosos, como *Den gamle Mester* e *Sæterjentens Søndag*. Sua vida religiosa também foi muito prolífica, sendo que, entre 1870 e 1875, se mudou algumas vezes de igreja e foi um bispo de muita influência sobre os fiéis que o acompanhavam.

Jørgen Engebretsen Moe não teve uma produção tão alta de versos originais quanto o seu trabalho de compilação das histórias antigas, mas, ainda assim, sua escrita era considerada "repleta de elegância", algo que também passou a ser característica de Asbjørnsen, em razão da proximidade de ambos nas literaturas em que trabalhavam juntos. Em dado momento, os dois autores passaram a ter um estilo narrativo quase idêntico, tornando-se até mesmo difícil de descobrir quem havia escrito o quê.

Entre as publicações de Moe estão a de 1850, uma coleção de poemas líricos, e coletâneas de prosas infantis em 1851 (*I Brønden og i Tjernet*) e em 1860 (*En liden Julegave*).

Moe ganhou alguns títulos, como o de Cavaleiro da Ordem de Santo Olavo, em 1873, o de Comandante da Ordem de Santo Olavo, em 1881, e o de Comandante da Cruz de Primeira Classe no mesmo ano.

Em janeiro de 1882, Moe renunciou à diocese por questões de saúde e, dois meses depois, faleceu, tendo o seu trabalho continuado por seu filho Moltke, que prosseguiu nas pesquisas e compilações de folclore norueguês e se tornou o primeiro professor do tema na Universidade de Oslo.

Moe e Asbjørnsen exerceram tamanho impacto na cultura da Noruega, por terem resgatado e preservado uma parte das tradições populares, além de suas contribuições para a língua norueguesa, que seus nomes passaram a ser associados diretamente aos contos que materializaram na escrita, tal como os Irmãos Grimm para os alemães.

No Museu de Ringerike, na Noruega, há diversos itens de Moe e Asbjørnsen, principalmente de Moe. Isso porque, em 1930, a filha dele, Marie Moe, doou à instituição muitos objetos da casa do pai.

HANS CHRISTIAN ANDERSEN

Também conhecido como H. C. Andersen ou H.C.A., Andersen (1805-1875) foi um poeta e escritor dinamarquês de histórias infantis, peças de teatro e até mesmo canções patrióticas. Seu nome é mundialmente associado aos contos de fadas, já que foi o criador de clássicos contos e livros para crianças, traduzidos para mais de 125 idiomas, como *A pequena sereia*, *O soldadinho de chumbo*, *O patinho feio* e *A roupa nova do rei*, entre outros que foram abundantemente adaptados para filmes, sinfonias e peças de dramaturgia.

Hans era filho de uma lavadeira e de um sapateiro muito humilde que morreu quando ele tinha apenas 11 anos. Sua infância foi muito pobre, e ele teve de sair da escola diversas vezes, embora o pai fizesse questão de ler histórias para Hans e encenar peças teatrais com os brinquedos rudimentares que faziam em casa, o que despertou a imaginação do garoto e o influenciou a posteriormente ser um grande criador de contos.

Quando o pai faleceu, em 1816, Hans foi forçado a sair da escola para trabalhar e se sustentar. Trabalhou com tecelagem, depois para um alfaiate e, aos 14 anos, aproximou-se do teatro acompanhando um grupo que se instalou em sua cidade. Em seguida, mudou-se para Copenhague, a fim de tentar ser ator. Começou, então, a escrever peças, com o incentivo de um amigo que o considerava poeta, e duas delas chegaram às mãos do conselheiro de Estado Jonas Collin, que lhe deu uma bolsa de estudos e seria próximo de Andersen por toda a vida.

O rapaz tímido, desajeitado e magro frequentou a Escola de Slagelse por seis anos, onde nutria um complexo de inferioridade em relação aos seus colegas muito mais jovens do que ele, embora tivesse concluído sua formação aos 22 anos de idade, em 1827.

Hans já havia publicado seu primeiro conto, *O fantasma da tumba de Palnatoke*, em 1822, mas foi no momento em que terminou a Escola de Slagelse, durante uma crise financeira, que passou a escrever histórias infantis baseadas no folclore dinamarquês. Pela primeira vez, os contos fizeram sucesso.

Foi admitido na Universidade de Copenhague em 1828 e, um ano depois, obteve sucesso com a obra *Um passeio desde o canal de Holmen até a ponta leste da ilha de Amager*. Em 1835, foi reconhecido em âmbito internacional com o romance *O improvisador*.

Entre 1835 e 1842, Hans lançou seis volumes de contos infantis. Continuou escrevendo histórias para crianças até 1872, chegando ao número de 156 obras. Os contos, no início, eram mais baseados na tradição popular e folclórica da Dinamarca, mas depois foram ganhando aspectos próprios do mundo da fantasia e também passaram a abordar elementos da natureza.

Embora tenha escrito muitos romances de adultos, livros de poesia e relatos de viagens, Hans ficou de fato conhecido pelos contos de fadas infantis, já que, até o surgimento de suas obras, raramente havia livros destinados especificamente às crianças. Ele foi a primeira voz na literatura a destinar-se ao público infantil.

Escrevia em linguagem acessível e atraente para meninas e meninos lerem e mostrava, muitas vezes, o confronto entre o forte e o fraco, os poderosos e os desprotegidos, os exploradores e os explorados, abordando a necessidade de todas as pessoas terem igualdade de direitos.

Hans Christian Andersen faleceu em Copenhague, no dia 4 de agosto de 1865, mas foi eternizado pela sua importância na literatura infantil, tendo sua data de nascimento, 2 de abril, considerada o Dia Internacional do Livro Infantojuvenil. Também leva seu nome o Prêmio Hans Christian Andersen, o "pequeno Nobel da Literatura", considerado o mais importante prêmio literário da literatura infantojuvenil.

HELGE KJELLIN

Tor Helge Kjellin (1885-1984) foi um escritor e historiador de arte sueco. Trabalhou como escritor na companhia sueca de ferrovias estatais Statens Järnvägar, estudou nas universidades de Uppsala e de Lund, formando-se em Filosofia nos graus de licenciatura e, posteriormente, doutorado. Kjellin também foi curador de museus no condado de Värmland (um dos 21 condados suecos) e professor universitário, traçando uma trajetória acadêmica prolífica e repleta de trabalhos publicados, sobretudo de história da arte medieval.

PARKER FILLMORE

Fillmore (1878-1944) foi um escritor, editor e compilador de contos de fadas dos Estados Unidos. Apesar de estadunidense, publicou histórias do folclore da Finlândia, Croácia, Iugoslávia, Tchecoslováquia, Polônia, Rússia, Bósnia e de muitos outros países.

Lançou o livro de contos finlandeses *Mighty Mikko: A Book of Finnish Fairy Tales and Folk Tales* em 1922, no qual se inclui um de seus contos mais populares, *A noiva da floresta*.

Fillmore deixava claro que não fazia somente um trabalho de tradução dos contos, mas de recontação deles em suas próprias versões, com o objetivo de agradar ao público com uma adaptação narrativa mais aprazível, já que o finlandês, em sua tradução literal, poderia soar como algo muito monótono. Além disso, também exercia tal papel para preservar a herança cultural das histórias de tais países.

KLARA STROEBE

Clara Stroebe (1887-?), também denominada Klara Stroebe, nascida na Alemanha, foi editora de diversos livros de contos de fadas nórdicos. Entre as obras nas quais trabalhou, estão *The Swedish Fairy Tale Book* (contos de fadas suecos), *The Norwegian Fairy Book* (contos de fadas noruegueses) e *The Danish Fairy Book* (contos de fadas dinamarqueses). Tais títulos foram publicados pela antiga editora estadunidense Frederick A. Stokes Company, em uma coleção denominada *The Fairy Book*.

NIKOLAJ FREDERIK SEVERIN GRUNDTVIG

Grundtvig, mais conhecido como N. F. S. Grundtvig (1783-1872), foi um escritor, poeta, historiador, filósofo, professor, político e pastor luterano da Dinamarca. Dedicava-se especialmente à literatura nacional e foi uma das pessoas mais influentes da história dinamarquesa, dando origem, com sua filosofia, a uma nova forma de nacionalismo na segunda metade do século XIX. Até hoje, Grundtvig ocupa posição única na história cultural dinamarquesa.

Entre os inúmeros feitos e ideias da trajetória de Grundtvig estão o estudo das sagas islandesas e o sonho de criar uma grande universidade nórdica situada em um ponto simbólico de intersecção entre os três países escandinavos (Suécia, Dinamarca e Noruega), em Gotemburgo, na Suécia.

ANNA WAHLENBERG

Anna Maria Lovisa Wahlenberg (1858-1933) - por vezes, sob o pseudônimo de Rien – foi uma escritora e dramaturga sueca. Na escola, foi educada para "administrar uma casa", um assunto que incluiu em sua literatura, discutindo a falta de oportunidades na educação para as mulheres e a situação de dependência financeira delas em relação aos homens.

Além das sete peças de sua autoria interpretadas no Royal Dramatic Theatre entre 1888 e 1907, Anna teve contos publicados na coleção *Bland Tomtar Och Troll,* sobre gnomos e *trolls*, e publicou diversos livros de contos de fadas. Tinha um compromisso político em sua narrativa, na qual retratava problemas e eventos cotidianos dentro dos tradicionais ambientes de contos de fadas.

JOSEPH JACOBS

Jacobs (1854-1916) foi um historiador e folclorista. Nasceu na Austrália, viveu na Inglaterra e nos Estados Unidos e morreu em Nova York. Formou-se nas universidades de Sidney, Cambridge e Berlim e, inicialmente, ficou mundialmente famoso em razão de uma série de artigos sobre a perseguição aos judeus na Rússia e sobre a história judaica.

Estudou o folclore inglês, coletou histórias de tradição oral e, em 1890, publicou o *English Fairy Tales* (contos do folclore inglês), entre os quais incluía-se *Os três porquinhos*. Tornou-se editor da Jewish Encyclopedia em 1900 e mudou-se para Nova York, onde também foi professor de inglês no Jewish Theological Seminary.

Publicou contos como *Molly Whuppie*, *João e o pé de feijão* e *Catarina Quebra-Nozes*, além de um livro de viagens, coleções de contos de fadas celtas, uma coleção de contos de fadas indianos e uma edição das fábulas de Esopo.

GEORGE WEBBE DASENT

Sir George Webbe Dasent, também conhecido como D. C. L. (1817-1896), foi um tradutor britânico de contos populares e colaborador do jornal *The Times*.

Estudou literatura clássica na Universidade de Oxford e, logo após sua formação, foi nomeado secretário de Thomas Cartwright em um cargo diplomático na Suécia. Foi lá, por meio de Jakob Grimm, que ele conheceu e se interessou pela literatura e mitologia escandinava.

Publicou uma tradução em inglês de *Younger Edda* em 1842 e, no ano seguinte, uma tradução da gramática da língua islandesa e norueguesa antiga.

Em 1845, de volta à Inglaterra, tornou-se editor assistente do jornal *The Times*. Enquanto trabalhava no jornal, Dasent continuou os estudos escandinavos e publicou diversas traduções de histórias nórdicas.

Traduziu o *Norske Folkeeventyr* (contos populares nórdicos) de Peter Christen Asbjørnsen e Jørgen Moe em 1859, incluindo um ensaio introdutório sobre a origem e a difusão dos contos populares.

O seu trabalho mais conhecido foi a tradução da saga islandesa de Njal, *The Story of Burnt Njal*, em 1861. Nesse mesmo ano, visitou a Islândia e foi aclamado como fortalecedor de laços entre ingleses e nórdicos.

Contos

A RAINHA DA NEVE

PARTE UM: O ESPELHO E OS PAPÕES

Esta história é sobre o malvado papão, um demônio da pior espécie.

Um dia o papão estava na maior alegria, pois havia inventado um espelho muito esquisito. Todas as coisas boas e bonitas, quando refletidas nesse espelho, tornavam-se horrorosas e mesquinhas. As cenas mais lindas ficavam parecendo espinafre cozido, e as pessoas mais agradáveis pareciam feias e deformadas.

— Que diversão magnífica! — disse o demônio.

Todos os pequenos demoniozinhos que frequentavam sua escola - pois ele tinha uma escola de demônios - ficaram animados e disseram que agora a humanidade poderia ver como o mundo realmente era. Eles carregaram o espelho por toda parte, até que finalmente não havia uma pessoa na Terra nem um povo que não tivesse sua imagem deformada por esse espelho. Então eles decidiram levar o espelho para o céu, para pregar uma peça nos anjos. No entanto, quanto mais alto voavam, mais pesado o espelho ficava. Por fim, eles não conseguiram mais segurá-lo, e o objeto escapou de suas mãos, caindo na Terra e espatifando-se em milhões e milhões de pedaços.

E foi então que o espelho causou mais infelicidade do que nunca, pois alguns dos fragmentos eram menores que um grão de areia e se espalharam pelo mundo. Quando um desses grãos minúsculos caía no olho de uma pessoa, ela passava a ver o mundo todo distorcido e feio ou conseguia ver apenas o pior lado do que olhava. Pior: alguns fragmentos caíram no coração das pessoas, e o dano foi maior ainda, pois o coração delas ficou frio como uma pedra de gelo. Algumas das peças eram tão grandes que podiam ser usadas como vidraças, e as pessoas não conseguiam ver os amigos através delas. Outras peças foram transformadas em óculos, e isso era terrível para aqueles que os usavam, pois eles nada viam de maneira correta ou justa.

O papão perverso ria vendo o mal que havia causado. Ainda havia vários desses pequenos fragmentos de vidro flutuando no ar, e agora você vai saber o que aconteceu com um deles.

PARTE DOIS:
UM MENINO E UMA MENINA

Em algumas grandes cidades muito cheias de casas e pessoas, não havia espaço para todos terem um jardim. Nessas cidades, as pessoas tinham de plantar suas flores em vasos. Em uma dessas cidades moravam duas crianças pobres. Eles não eram irmãos, mas se amavam quase como se fossem. Seus pais moravam em casas geminadas. O nome do menino era Kay, e o da menina era Gerda.

Seus pais tinham jardineiras nas janelas, onde plantavam rosas.

No verão, as crianças abriam bem as janelas ou então iam brincar na rua. No inverno, todo esse prazer chegava ao fim, pois as janelas ficavam cobertas de neve. Então eles aqueciam moedas no fogão e as seguravam contra a janela congelada para fazer um pequeno buraco redondo através do qual poderiam se espiar, e os olhos brilhantes do menino e da menina brilhavam enquanto se olhavam.

Um dia, a avó de Kay disse:

— Vejam aquele redemoinho de neve. São as abelhas brancas voando.

— As abelhas brancas também têm uma rainha? — perguntou o menino, pois ele sabia que as abelhas sempre têm uma rainha.

— Têm sim — respondeu a avó. — Ela voa sempre onde o enxame é mais forte e é a maior de todas. Nas noites de inverno, a rainha voa pelas ruas da cidade e espia pelas janelas. E, quando faz isso, a água congela no vidro de uma maneira tão maravilhosa que parecem flores.

— Sim, já vimos isso — disseram as duas crianças. Elas sabiam que era verdade.

— A rainha da neve pode entrar aqui? — perguntou a garotinha.

— Ela que ouse entrar! — disse o menino. — Eu a jogo no fogão e a derreto.

A avó acariciou a cabeça do menino e contou outras histórias.

Uma noite, o pequeno Kay estava sentado junto à janela e espiando pelo pequeno buraco. Alguns flocos de neve caíam, e um deles, o maior de todos, foi ficando cada vez maior e, finalmente, transformou-se em uma mulher. Ela usava o mais lindo vestido branco, feito de um milhão de pequenos flocos que pareciam estrelas, e era muito bonita e delicada, ainda que fosse feita de gelo.

Ela acenou para Kay. O garotinho ficou assustado e deu um pulo da cadeira. Pareceu-lhe que, naquele momento, um grande pássaro havia passado voando pela janela.

No dia seguinte, houve uma geada forte, e logo depois a primavera chegou. O sol brilhava novamente, as folhas verdes apareciam, as andorinhas construíam seus ninhos, as janelas se abriam, e as criancinhas sentavam-se novamente em seus lindos jardins.

Naquele verão, as rosas floresceram com uma beleza inusitada. As crianças deram as mãos, beijaram as rosas e brincaram sob o sol claro. Que dias de verão adoráveis! Que prazer estava no ar, perto das roseiras frescas, que pareciam nunca parar de florescer!

Um dia, Kay e Gerda estavam folheando um livro de gravuras cheio de pássaros quando o menino gritou:

— Ai! Sinto uma dor tão aguda no meu coração! E agora entrou um cisco nos meus olhos!

Gerda olhou, olhou, mas não conseguiu ver nada nos olhos de Kay.

— Acho que já saiu — disse ele, piscando os olhos.

No entanto, não havia saído. Um daqueles pedacinhos do espelho mágico havia entrado em seus olhos e outro em seu coração. Os pedaços não doíam mais, mas estavam lá.

— Olhe! — disse Kay. — Tem uma minhoca naquela roseira. Nunca vi flores tão feias quanto essas rosas.

E deu um pontapé onde cresciam as rosas, derrubando duas delas.

— Por que você está chorando? — ele perguntou. — Você fica tão feia!

E então ele deu um chute na caixa e arrancou mais duas rosas.

— O que você está fazendo? — chorou a menininha.

Ao perceber que Gerda estava muito triste, ele arrancou outra rosa, só para aborrecê-la.

Ele andava tão mal comportado que chegou até a desobedecer a avó. Se sua avó contava histórias, ele sempre a interrompia. Não contente, ficava atrás dela, colocava seus óculos e imitava sua maneira de falar. Logo ele aprendeu a imitar tudo o que era peculiar e desagradável nas pessoas na rua. Nessas ocasiões, todas as pessoas diziam:

— O garoto é certamente muito esperto!

Mas era o espelho que ele tinha nos olhos e no coração que o fazia provocar até a pequena Gerda.

No inverno seguinte, quando a neve caía de novo, Kay olhou os flocos de neve com uma lente de aumento.

— Olhe pela janela! — disse Kay. — Os flocos de neve são muito mais interessantes do que as flores! Eles são tão exatos e não haveria um único defeito neles se não derretessem!

Não muito tempo depois, Kay chegou com luvas grandes e seu pequeno trenó nas costas gritando nos ouvidos de Gerda:

— Tenho permissão de ir para a praça e brincar com os outros meninos!

E para lá ele foi.

Na praça, alguns dos meninos mais ousados costumavam amarrar os trenós nas carruagens quando elas passavam, e assim eram puxados pela neve. Foi durante essas brincadeiras que apareceu por ali um grande trenó, todo branco. Nele vinha uma linda mulher envolvida em um manto branco de pele e usando uma coroa. O trenó percorreu a praça duas vezes, e Kay amarrou seu trenó atrás dele o mais rápido que pôde.

Eles seguiram cada vez mais depressa pelas ruas. A mulher que dirigia se virou para Kay e acenou para ele de uma maneira amigável, como se eles se conhecessem. O menino estava muito assustado. Tentava desamarrar o trenó, mas os nós estavam muito apertados. A mulher acenava com a cabeça e, então, Kay sentava-se quieto e assim foi até que eles saíram dos portões da cidade.

A neve começou a cair tão forte que o menino mal conseguia enxergar. O pequeno veículo continuava a correr com a rapidez do vento. Ele gritou o mais alto que pôde, mas ninguém o ouviu. A neve caía, e o trenó voava. Os flocos de neve foram ficando cada vez maiores, até que finalmente pareciam grandes aves brancas. De repente, o grande trenó parou, e a mulher se levantou. Ela era alta, esbelta, muito bonita e de uma brancura deslumbrante. Era a rainha da neve.

— Nós viajamos rápido — disse ela —, mas está muito frio. Venha para debaixo da minha pele de urso.

A rainha colocou o menino ao seu lado e o enrolou em seu casaco. Kay sentiu como se estivesse afundando em uma avalanche.

— Você ainda está com frio? — perguntou ela, beijando a testa do menino.

Ah! Estava mais frio que o gelo, e o frio penetrava no coração de Kay. Pareceu-lhe que ele estava prestes a morrer, mas logo depois ele já se sentia aquecido.

— Meu trenó! Não se esqueça do meu trenó! — foi a primeira coisa em que ele pensou.

A rainha da neve beijou Kay mais uma vez, e ele logo se esqueceu da pequena Gerda, da avó e de tudo o que havia deixado em sua casa.

Kay olhou para ela. Ela era muito bonita. Parecia inteligente e amável, e não mais feita de gelo como antes. Aos olhos dele, ela era perfeita, e ele não a temia. O menino tentou impressioná-la dizendo que sabia calcular de cabeça e com frações até, que sabia o número de milhas quadradas existentes nos diferentes países e quantos habitantes eles continham. A rainha sorria enquanto ele falava.

Eles voltaram a voar. Voaram alto sobre as nuvens negras enquanto a tempestade gemia e assobiava como se estivesse cantando alguma música antiga. Voaram sobre bosques e lagos, sobre mares e muitas terras. Embaixo deles, a tempestade gelada avançava rapidamente, os lobos uivavam, a neve estalava. Acima deles voavam grandes corvos gritando, mas mais acima estava a lua, grande e brilhante, e era para ela que Kay olhava durante aquelas noites de inverno. Durante o dia, dormia aos pés da rainha da neve.

PARTE TRÊS:
DO JARDIM DE FLORES DA VELHA QUE ENTENDIA DE BRUXARIA

Ninguém sabia onde estava Kay. Os outros meninos só sabiam dizer que ele havia amarrado seu trenó a outro maior e que sumira na neve. Por fim, todos concluíram que ele havia se afogado no rio que corria perto da cidade. Ah! Como aquelas noites de inverno foram longas e sombrias!

Quando a primavera chegou, Gerda calçou os sapatos vermelhos de que mais gostava e foi sozinha até o rio perguntar por Kay. Era muito cedo.

— É verdade que você levou meu amiguinho? Você pode ficar com meus sapatos vermelhos se o devolver para mim, pois estou muito triste.

E, como lhe pareceu, as ondas azuis concordaram de uma maneira estranha. Então Gerda tirou os sapatos vermelhos e as coisas mais preciosas que possuía e jogou no rio. Mas os objetos caíram perto da margem, e as pequenas ondas os devolveram, como se o riacho não os quisesse levar. Gerda pensou que não havia jogado os objetos longe o suficiente e subiu em um barco que estava entre os juncos, foi até o fim e os atirou novamente.

Mas o barco não estava preso, e o movimento dela fez com que ele se afastasse da margem. Ao perceber isso, a menina tentou voltar, mas, antes que pudesse fazê-lo, o barco já estava a mais de um metro da terra e descia o rio.

A pequena Gerda ficou muito assustada e começou a chorar, mas ninguém a ouviu, exceto os pardais, e eles não puderam carregá-la para a terra.

As margens dos dois lados eram lindas: havia lindas flores, árvores deslumbrantes e colinas com ovelhas e vacas, mas não se via um único ser humano. A menina se levantou e procurou por muitas horas nas belas margens verdes. Ela agora passava por um grande pomar de cerejeiras, onde havia uma pequena cabana com curiosas janelas vermelhas e azuis. A cabana era coberta de palha e, diante dela, dois soldados de madeira faziam sentinela.

Gerda os chamou, pois pensou que eles estavam vivos, mas eles, é claro, não responderam. Gerda gritou ainda mais alto, e uma velha saiu do chalé, apoiando-se em um bastão muito comprido. Ela usava um grande chapéu de abas largas, pintado com lindas flores.

— Pobre criança! — disse a velha, e agarrou o barco com seu bastão, puxou-o para a margem e tirou a pequena Gerda.

Gerda estava muito feliz por estar em terra firme novamente, mas estava com medo da estranha velha.

— Venha e me diga quem você é e como veio parar aqui — disse ela.

A menina contou tudo e perguntou se ela não havia visto o pequeno Kay. A mulher respondeu que ele não havia passado por lá, mas que, sem dúvida, passaria. Também disse à menina para não se deixar abater, mas provar as cerejas e olhar para as flores, que eram mais finas do que as de qualquer livro ilustrado. Ela então pegou Gerda pela mão, levou-a para o pequeno chalé e trancou a porta.

A velha penteou os cabelos de Gerda com um pente de ouro e disse:

— Sempre quis ter uma menina como você.

Era uma feiticeira, mas não das más. Ela só queria Gerda para ela. O pente era mágico e fez Gerda esquecer que estava procurando Kay. O bastão também era mágico: a feiticeira passou-o por cima das roseiras, e todas elas mergulharam na terra. A velha temia que Gerda se lembrasse de Kay e quisesse fugir se visse as rosas.

Então ela levou Gerda ao jardim de flores. Ah, que cheiro bom e que beleza havia! Todas as flores em que se podia pensar e de todas as estações estavam ali em plena floração, nenhum livro de figuras poderia ser mais alegre ou mais bonito que aquilo. Gerda pulava de alegria e brincava até o sol se pôr atrás das cerejeiras. À noite, ela se deitava em uma cama bonita, com uma colcha de seda vermelha cheia de violetas azuis. Gerda adormecia e tinha sonhos tão agradáveis quanto os de uma rainha no dia de seu casamento.

Entretanto, a velha havia se esquecido das rosas do chapéu. Um dia, Gerda disse:

— Ué! Não há rosas nesse jardim?

Ela correu entre os canteiros e procurou, mas não encontrou nenhuma. Ela então se sentou e chorou. Suas lágrimas quentes caíram exatamente onde um arbusto de rosas havia mergulhado, e as rosas nasceram de novo. Gerda beijou as flores, pensou em suas próprias rosas queridas em casa e, com elas, no pequeno Kay.

— Ah, quanto tempo eu fiquei aqui? Eu pretendia procurar Kay! Vocês não sabem onde ele está? — perguntou às rosas.

Mas as rosas não sabiam de nada.

O portão estava trancado, mas ela apertou o ferrolho, e ele se abriu. A pequena Gerda fugiu descalça pelo mundo, olhando em volta para ver se alguém a seguia, mas não havia ninguém. Seus pés doíam muito, e ela não conseguiu mais correr. A menina então se sentou em uma pedra grande e, ao olhar ao redor, percebeu que o verão havia passado. Já era outono, e tudo parecia frio, triste e deserto.

PARTE QUATRO: O PRÍNCIPE E A PRINCESA

Gerda descansava quando um grande corvo saltou sobre a neve branca. Ele estava há muito tempo olhando para Gerda e balançando a cabeça e disse:

— Cau! Cau! Bom dia! Bom dia!

Ele não sabia falar melhor que isso, mas sentiu simpatia pela menina e perguntou-lhe para onde estava indo sozinha. Gerda contou ao corvo toda a sua história e perguntou se ele havia visto Kay. O corvo assentiu com seriedade e disse:

— Pode ser, pode ser!

E então ele disse tudo o que sabia:

— No reino em que estamos agora, mora uma princesa muito inteligente. Ela estava em seu trono – o que não deve ser muito divertido – quando pensou: por que não me caso? Mas ela queria um marido que fosse capaz de responder a todas as perguntas que lhe fizessem. Ela então reuniu todas as damas da corte, que ficaram muito felizes em saber de sua decisão. Você pode acreditar em cada palavra que eu digo, porque eu tenho uma querida amiga que mora no palácio, e foi ela quem me contou tudo isso. Qualquer jovem bonito tinha a liberdade de vir ao palácio e falar com a princesa, mas ela escolheria aquele que fosse o mais sábio. Muitos rapazes tentaram conquistar a princesa, mas todos perdiam a falam diante dela e não conseguiam responder a nada. Eles eram inteligentes, mas, quando estavam diante do trono em que a princesa estava sentada, tudo o que conseguiam fazer era repetir a última palavra que ela havia dito.

— Mas e o pequeno Kay? Ele estava lá também?

— Calma, calma, vamos chegar lá. No terceiro dia, apareceu um rapaz sem cavalo que veio marchando com ousadia até o palácio. Os olhos dele brilhavam como os seus, ele tinha lindos cabelos longos, mas as roupas dele estavam muito surradas. Mas falava muito bem e ganhou a mão da princesa.

— Deve ser o Kay — exclamou Gerda, e bateu palmas de alegria.

— Ele era corajoso e bem-comportado, não viera para conquistar a princesa, mas apenas para ouvir sua sabedoria. Ela o agradou, e ele a ela.

— Sim, sim! Com certeza era o Kay. Ele era tão esperto, sabia contar frações de cabeça. Ah, por favor, você não pode me levar ao palácio?

— Espere por mim aqui nestes degraus — disse o corvo, que moveu a cabeça para trás e para a frente e voou para longe.

A noite estava chegando quando o corvo voltou.

— Cau, cau! — disse ele. — Não é possível entrar no palácio pela porta principal, pois você está com os pés descalços, e os guardas de prata e os lacaios de ouro não permitiriam. Mas não chore, você entrará. Minha amiga conhece uma pequena escada que leva ao quarto da princesa, e ela sabe onde conseguir a chave.

Naquela noite, eles entraram no jardim da grande avenida, e, quando as luzes do palácio se apagaram, o corvo levou a pequena Gerda até a porta dos fundos, que estava entreaberta.

Ah, como o coração de Gerda pulsava com ansiedade e esperança! Um salão era mais magnífico que o outro, e finalmente eles entraram no quarto. O teto do quarto parecia uma grande palmeira com folhas de vidro e, no meio, ficavam penduradas duas camas, cada uma parecendo um lírio. Uma era branca, e nela estava a princesa; a outra era vermelha, e foi lá que Gerda procurou o pequeno Kay. Ela ergueu na direção do príncipe a lanterna que trazia, e ele acordou e se virou para ela. Não era o pequeno Kay!

Na cama de lírio branco, a princesa também acordou e perguntou o que estava acontecendo. Então a pequena Gerda chorou e contou a eles toda a sua história e tudo o que os corvos fizeram por ela.

— Coitadinha! — disseram o príncipe e a princesa.

Eles elogiaram muito os corvos, e o príncipe levantou-se e deixou Gerda dormir em sua cama.

No dia seguinte, Gerda partiu para continuar sua busca. Estava vestida da cabeça aos pés em seda e veludo. O príncipe e a princesa convidaram-na para ficar no palácio e levar uma vida feliz, mas a menina só pediu uma pequena carruagem com um cavalo na frente e um pequeno par de sapatos para que pudesse voltar ao mundo nefasto e procurar o pequeno Kay. Gerda recebeu uma carruagem feita de ouro e alguns presentes.

O príncipe e a princesa ajudaram Gerda a entrar na carruagem, e todos desejaram a ela todo sucesso, até o corvo.

— Adeus! Adeus! — disseram o príncipe e princesa.

PARTE CINCO:
A PEQUENA LADRA

A floresta era escura, mas a carruagem brilhava como uma tocha e ofuscava os olhos dos ladrões, de modo que eles não puderam deixar de notá-la.

— É ouro! É ouro! — gritaram eles.

Em pouco tempo, os ladrões chegaram, agarraram os cavalos, derrubaram o cocheiro e os criados e puxaram a pequena Gerda para fora da carruagem.

— Como é gorda e linda! Ela deve ter sido alimentada com amêndoas — disse a mulher do ladrão.

— É tão boa quanto um cordeiro gordo! Que delícia será jantá-la — disse o ladrão, que tinha uma barba longa e sobrancelhas grossas que pairavam sobre os olhos.

Ele sacou uma faca, cuja lâmina brilhava de modo aterrorizante.

— Ai! — gritou uma mulher no mesmo momento. Ela fora mordida na orelha por sua própria filha, que estava pendurada em suas costas e era tão selvagem e incontrolável que era divertido vê-la. Assim, ela não teve tempo de matar Gerda.

— Ela pode brincar comigo — disse a pequena ladra.

A pequena donzela ladra era tão alta quanto Gerda, mas mais forte, de ombros mais largos e de pele escura, seus olhos eram bem negros e pareciam quase melancólicos. Ela abraçou a pequena Gerda e disse:

— Não tenha medo. Meus pais não comerão você se formos amigas. Você é uma princesa?

— Não — disse a pequena Gerda, que então relatou tudo o que havia acontecido com ela e o quanto ela se preocupava com o pequeno Kay.

Todos entraram na carruagem e então percorreram um bom caminho. Por fim, a carruagem parou. Eles estavam agora no meio do pátio do vilarejo dos ladrões. As casas eram velhas e cheias de rachaduras. No meio do grande e velho salão, havia uma fogueira no chão de pedra. Num imenso caldeirão fervia a sopa; coelhos e lebres estavam sendo assados no espeto.

— Você dormirá comigo esta noite, com todos os meus animais — disse a pequena ladra.

Elas comeram e depois foram para um canto, onde havia palha e tapetes. Nas vigas do teto, estavam empoleirados quase cem pombos, todos aparentemente dormindo, mas, ainda assim, eles se mexeram um pouco quando a pequena ladra chegou.

— São todos meus amigos. E aqui está minha querida Bac — disse, segurando os chifres de uma rena, que tinha um anel de cobre brilhante em volta do pescoço e estava amarrada no local.

— Somos obrigados a amarrá-la ou ela escapa. Todas as noites faço cócegas no pescoço dela com minha faca, só para assustá-la.

A garotinha sacou uma faca comprida de uma rachadura na parede e a deixou deslizar sobre o pescoço da rena. O pobre animal se encolheu, e a garota riu e puxou Gerda para a cama com ela.

— Você sempre dorme com essa faca por perto? — perguntou Gerda, olhando para ela com medo.

— Sempre, porque não há como saber o que pode acontecer. Mas agora me conte tudo sobre o pequeno Kay.

Gerda relatou tudo, desde o início. A pequena ladra passou o braço em volta do pescoço de Gerda, segurando a faca na outra mão, e dormiu, mas Gerda não conseguiu fechar os olhos, de tanto medo. Os ladrões sentaram-se ao redor do fogo, cantaram e beberam.

Então os pombos disseram:

— Nós vimos o pequeno Kay! Ele estava sentado no trenó da rainha da neve. Ela soprou sobre nós e todos morreram, exceto nós dois.

— Para onde foi a rainha da neve? Vocês sabem?

— Sem dúvida, foi para a Lapônia, pois sempre há neve e gelo lá. Pergunte à rena — disseram os pombos.

— Sim, deve ter ido para a Lapônia — disse a rena. — A Rainha da neve tem uma casa de verão na Lapônia, mas sua morada fixa fica lá no alto, em direção ao Polo Norte, numa ilha chamada Spitzbergen.

— Pobre Kay!

De manhã, Gerda contou à menina tudo o que os pombos da floresta haviam dito; e a pequena ladra, muito compenetrada, acenou com a cabeça e disse:

— Escute bem. Quando os homens saírem, mamãe vai beber de uma garrafa grande e depois tirar uma soneca. Então ajudarei você.

Quando a mãe já estava tirando uma soneca, a pequena ladra soltou a rena e disse:

— Gostaria muito de lhe fazer cócegas com a faca, porque você é muito divertida, mas vou desamarrá-la e ajudá-la a voltar para a Lapônia. Porém, faça bom uso de suas pernas e leve essa menininha para mim ao palácio da rainha da neve, onde está o amiguinho dela. Suponho que você tenha ouvido tudo o que ela contou.

A rena deu um salto de alegria.

— Não suporto ver ninguém preocupado — disse a pequena ladra. — Aqui estão dois pães e um presunto, para que você não morra de fome.

A menina ajudou Gerda a montar na rena e até devolveu as botas, mas no último momento desistiu de entregar-lhe o bonito regalo de pele. Em vez disso, deu-lhe umas luvas velhas para usar.

Gerda chorou de alegria quando a menina disse à rena:

— Vá depressa e cuide da minha amiga!

PARTE SEIS:
A MULHER LAPÃ E A FINLANDESA

Logo Gerda e a rena chegaram à Lapônia. De repente, eles pararam diante de uma casinha muito simples. O telhado alcançava o chão, e a porta era tão baixa que a família era obrigada a rastejar de bruços para entrar ou sair. Ninguém estava em casa, exceto uma esquimó da Lapônia, que temperava um peixe à luz de um lampião a óleo. A rena contou a ela toda a história de Gerda, mas antes a sua, pois isso lhe parecia de muito maior importância. Gerda sentia tanto frio que não conseguia falar.

— Pobrezinhos! — disse a mulher da Lapônia. — Vocês ainda estão muito longe. Vocês ainda têm de percorrer mais de cem quilômetros antes de chegar à Finlândia. Lá fica a casa de campo da rainha da neve, onde ela acende luzes azuis todas as noites. Vou escrever algumas palavras em um bacalhau seco, pois não tenho papel. Leve isso para minha amiga finlandesa, e ela poderá fornecer mais informações do que eu.

Antes de eles partirem, a velhinha ainda alimentou e aqueceu Gerda.

As luzes azuis mais encantadoras iluminavam a noite inteira no céu e, finalmente, eles chegaram à Finlândia. Eles bateram na chaminé da mulher finlandesa, pois não havia porta.

Fazia tanto calor dentro da casa que a própria mulher da Finlândia usava poucas roupas. Ela era pequena e imediatamente afrouxou as roupas da pequena Gerda, tirou as grossas luvas e botas e, depois de colocar um pedaço de gelo na cabeça da rena, leu o que estava escrito na pele de peixe. Ela leu a mensagem três vezes e, após decorá-la, colocou o peixe no armário, pois ele poderia muito bem ser comido, e ela nunca jogava nada fora.

A rena contou primeiro sua própria história e depois a da pequena Gerda. A finlandesa piscou os olhos, mas nada disse.

— Você é tão esperta que pode amarrar todos os ventos do mundo juntos com um fio de linha. Você dará à pequena donzela uma poção para que ela tenha a força de doze homens e derrote a rainha da neve? — perguntou a rena.

A finlandesa foi até o armário e tirou uma grande pele enrolada. Quando a desenrolou, havia personagens e escritos estranhos desenhados nela, e a mulher leu aquilo com tal velocidade que o suor escorria por sua testa.

Então a finlandesa chamou a rena de lado.

— Não há dúvida de que o pequeno Kay está com a rainha da neve. Ele acha que lá é o melhor lugar do mundo porque tem um caco de vidro nos olhos e outro no coração. É preciso retirá-los, caso contrário, ele nunca voltará a ser humano, e a rainha da neve ficará com ele para sempre.

— Mas você não pode dar à pequena Gerda algo que possa ajudá-la? — perguntou a rena.

— Não posso dar a ela mais poder do que ela já possui. Você não vê como ela é incrível? Você não vê como homens e animais são forçados a servi-la? E como passa pelo mundo com os pés descalços? Esse poder está em seu coração, porque ela é uma criança doce e inocente! Se ela não conseguir chegar à rainha da neve sozinha e retirar o vidro do coração do amigo, não poderemos ajudá-la. Leve a garotinha até o jardim da rainha da neve. Coloque-a no grande arbusto com frutas vermelhas e volte o mais rápido possível.

A finlandesa ajudou a pequena Gerda a montar nas costas da rena, e lá se foram novamente. A rena deixou a pobre Gerda sozinha, sem sapatos ou luvas, no meio da terrível e gelada Finlândia.

Ela correu o mais rápido que pôde. Flocos de neve monstruosos batiam contra Gerda. Brancos e vivos, eles eram a guarda avançada da rainha de neve e tinham as formas mais estranhas. Alguns pareciam serpentes, outros lembravam ursos enormes. Os flocos corriam pelo chão e, quanto mais próximos chegavam, maiores ficavam. Gerda lembrou-se bem de quão grandes e estranhos os flocos de neve pareciam ser quando os viu através de uma lupa, mas agora eles eram grandes e maravilhosos de outra maneira – estavam todos vivos.

A pequena Gerda repetiu a Oração do Senhor. O frio era tão intenso que ela podia ver a própria respiração, que saía como fumaça da boca e ficava cada vez mais espessa, assumindo a forma de anjinhos, que cresciam cada vez mais quando tocavam a terra. Todos os anjos tinham elmos na cabeça, lanças e escudos nas mãos. Eles aumentaram em número, e, quando Gerda terminou a Oração do Senhor, estava cercada por uma legião inteira. Eles cortaram os horríveis flocos de neve com suas lanças, de forma que a pequena Gerda seguiu sem medo pelo meio deles. Os anjos também afagaram as mãos e os pés da menina, e ela sentiu menos frio e seguiu rapidamente para o palácio da rainha da neve.

PARTE SETE:
O QUE ACONTECEU NO PALÁCIO DA RAINHA DA NEVE E O QUE ACONTECEU DEPOIS

As paredes do palácio eram feitas de neve, e as janelas, de vento. Havia mais de cem salões, todos iluminados pela aurora boreal.

No centro do palácio, havia um lago gelado, e ali estava sentado Kay. Ele estava tão quieto que parecia até que estava congelado. Não sentia frio, porque, quando a rainha da neve o beijou, até seu coração se transformou em um pedaço de gelo.

Kay brincava com algumas pedrinhas de gelo, formando desenhos. Para Kay, aqueles desenhos pareciam muito bonitos e importantes, mas apenas por causa do cisco de vidro que ainda tinha no olho e que não o deixava ver as coisas como realmente eram.

Quando Gerda entrou no palácio, a rainha da neve havia saído. Gerda viu Kay sentado no gelo e correu para ele. Ela o abraçou muitas vezes e gritou:

— Kay! Kay! Finalmente encontrei você!

Kay continuava frio e duro, mas só até as lágrimas de Gerda caírem nele e chegarem ao seu coração. Imediatamente, elas derreteram o gelo que havia ali e queimaram o caco de espelho.

Kay começou a chorar, e chorou tanto que o cisco de vidro saiu. Gerda beijou as bochechas do menino, que logo ficaram rosadas.

Melhor do que tudo foi os blocos de gelo caírem e formarem um desenho da maior importância, pois livrou Kay completamente do encanto na rainha da neve.

Os dois amiguinhos saíram depressa do palácio. Enquanto caminhavam, os ventos pararam, e o sol atravessou as nuvens. Quando chegaram ao jardim, duas renas os esperavam.

As renas levaram Kay e Gerda até a casa da finlandesa, depois à da esquimó e finalmente à fronteira do seu país.

Dali eles seguiram para casa de mãos dadas.

Tudo estava como haviam deixado: a vovó, as casas e as rosas nas janelas. E era verão, um verão quente e maravilhoso.

OS TRÊS LIMÕES

Era uma vez três irmãos que haviam perdido os pais. Como os pais não haviam deixado nenhuma herança ou um lugar onde os rapazes pudessem viver, eles tiveram de sair pelo mundo para tentar a sorte. Os dois irmãos mais velhos se prepararam o melhor que puderam, mas não queriam levar o mais novo, a quem chamavam de Tom Vela porque ele sempre se sentava no canto da chaminé e fazia velas de madeira.

Os dois partiram muito cedo, nas primeiras horas do dia. No entanto, por mais rápido que caminhassem, Tom Vela chegou junto com eles ao palácio do rei. Lá, os três foram pedir trabalho. O rei disse que nada tinha para oferecer, mas, como os irmãos insistiram muito, afirmou que iria encontrar algo para eles. Sempre deve haver algo para se fazer em uma casa tão grande. Sim! Eles poderiam cravar pregos na parede e, quando terminassem a tarefa, poderiam retirá-los novamente. Quando já tivessem feito isso, poderiam levar madeira e água para a cozinha.

Tom Vela era o mais ágil em pregar pregos na parede e puxá-los novamente e também o mais ágil em transportar madeira e água. Assim, seus irmãos ficaram com inveja e lançaram o rumor de que o irmão achava que era bom o suficiente para trazer ao rei a princesa mais bonita que pudesse encontrar em um dos doze reinos, pois o rei havia perdido sua velha esposa e estava viúvo.

Quando o rei ouviu isso, disse a Tom que ele teria de fazer o que prometera ou faria com que eles o deitassem no chão e cortassem sua cabeça. Tom Vela respondeu que nunca havia dito nem pensado nada daquilo, mas, como o rei era muito severo, faria o melhor que pudesse para cumprir a tarefa. O rei deu a ele uma trouxa de comida. Tom a colocou nos ombros e logo depois deixou o palácio.

Contudo, mal havia partido, Tom sentiu fome e quis provar da comida que lhe haviam dado. Ele se sentou para descansar à sombra de um abeto na beira da estrada, e neste momento surgiu uma velha bruxa mancando, que perguntou o que ele tinha na trouxa.

— Carne seca e carne fresca — disse o rapaz. — Se você está com fome, senhora, venha e lanche comigo.

Ela agradeceu e disse que talvez um dia pudesse retribuir a boa ação, e foi embora mancando pela floresta. Depois de comer o suficiente e descansar, Tom jogou a trouxa por cima do ombro e partiu novamente. Pouco tempo depois, ele encontrou uma flauta. Aquilo, ele pensou, poderia ser uma boa companheira de viagem, e ele logo aprendeu a tocá-la. De repente, apareceu perto dele um enxame de pequenos *trolls*, e cada um perguntou a ele, berrando:

— O que meu senhor ordena? O que meu senhor ordena?

Tom disse que nunca soube que era o senhor deles, mas, se ele fosse pedir alguma coisa, desejava que o levassem à princesa mais bonita em todos os doze reinos. Isso não era grande coisa para os pequenos *trolls*, pois eles sabiam muito bem onde ela estava e podiam mostrar a ele o caminho. E depois ele poderia buscá-la, pois os *trolls* não tinham permissão para tocá-la.

As criaturas mostraram o caminho a Tom, e ele chegou ao final de sua jornada muito bem. Ninguém o incomodou pelo caminho. Era o castelo dos *trolls*, e nele estavam três princesas adoráveis. Todavia, assim que Tom entrou, todas ficaram com medo, correram como cordeiros assustados e, de repente, transformaram-se em três limões. Tom ficou tão triste com isso que mal sabia para onde ir. Depois de pensar um pouco, colocou os limões no bolso, achando que seria bom tê-los se sentisse sede pelo caminho, pois ouvira dizer que os limões da floresta eram azedos.

Após percorrer uma parte do caminho, Tom sentiu muito calor e sede. Não havia água, e ele não sabia como saciar a sede. Então ele começou a pensar nos limões e abriu um buraco em um deles Mas eis que, dentro dele, estava uma princesa sentada, que gritou:

— Água! Água! Se eu não beber um pouco de água, vou morrer — ela disse.

O rapaz correu à procura de água, mas não encontrou em lugar nenhum, e a princesa morreu.

Então ele caminhou um pouco mais e sentiu ainda mais calor e mais sede. Como não conseguia encontrar algo para se saciar, pegou o segundo limão e abriu um buraco. Dentro havia também uma princesa, ainda mais adorável que a primeira. Ela também gritou por água e disse que, se não conseguisse obtê-la, morreria em pouco tempo. Então, Tom procurou embaixo de pedras e musgos, mas não encontrou, assim, a segunda princesa morreu também.

Tom pensou que as coisas pioravam cada vez mais, e assim era, pois, quanto mais ele caminhava, mais quente ficava. A terra estava tão seca e queimada que não havia uma gota de água, e ele não estava longe de morrer de sede. Ele tentou evitar ao máximo abrir um buraco no limão que ainda tinha, mas por fim não conseguiu evitar. Quando abriu o buraco, também havia uma princesa dentro dele, e ela era a mais linda em doze reinos. Como as outras, ela gritava que, se não pudesse obter água, morreria imediatamente. Então, Tom correu à procura de água, e, desta vez, encontrou o moleiro do rei, que mostrou a ele o caminho para a represa do moinho. Quando chegou à represa com a princesa e lhe deu um pouco de água, ela saiu do limão e estava completamente nua. Tom lhe deu os trapos que levava consigo para que ela vestisse, e ela se escondeu no alto de uma árvore enquanto ele subia ao palácio do rei para buscar roupas para ela e dizer ao rei que havia encontrado a princesa e, em segundos, contou a ele toda a história.

Enquanto isso acontecia, a cozinheira desceu à represa do moinho para buscar água. Ao ver o rosto adorável que brincava lá, pensou que era seu próprio reflexo e ficou tão feliz que saiu dançando e pulando porque estava tão bonita.

— Que os diabos carreguem a água, já que eu sou tão bonita! — e jogou fora os baldes de água.

Contudo, em pouco tempo, ela percebeu que o rosto na represa do moinho pertencia à princesa que estava sentada na árvore. A cozinheira ficou tão zangada que a derrubou da árvore e a jogou na represa. Em seguida, vestiu os trapos que Tom havia dado à princesa.

Quando o rei veio e pôs os olhos na feia cozinheira, ficou vermelho de raiva. No entanto, ao ouvir as pessoas contar que ela era a mais bela em doze reinos, pensou que havia algo escondido ali; além disso, ele sentia pelo pobre Tom, que se esforçara ao máximo para encontrá-la para ele.

— Ela vai melhorar, talvez, com o passar do tempo — pensou ele — quando for vestida com elegância e usar roupas finas. E então o rei a levou para casa com ele.

Depois mandaram chamar todos os fabricantes de perucas e tecidos, e ela foi vestida como uma princesa. Não importava o quanto tentassem vesti-la bem, ela continuava feia como sempre.

Depois de um tempo, a cozinheira precisou ir à represa buscar água e acabou pegando com o balde um grande peixe prateado. Ela o levou até o palácio e mostrou ao rei, e ele o achou grande e bom. Mas a princesa feia, percebendo quem era o peixe, disse que aquilo deveria ser alguma bruxaria e que o peixe deveria ser queimado. Pois bem! O peixe foi queimado e, na manhã seguinte, encontraram um pedaço de prata nas cinzas. A cozinheira veio e contou ao rei, que achou aquilo muito estranho. A princesa, entretanto, disse que aquilo tudo se tratava de feitiçaria e pediu que enterrassem o pedaço de prata na pilha de esterco. O rei foi contra, mas ela não o deixou em paz até que concordasse em fazer isso.

Mas, ora! No dia seguinte, havia uma árvore linda e alta no local onde haviam enterrado o pedaço de prata, com folhas que brilhavam como prata. O rei, ao saber daquilo, achou tudo muito estranho, mas a princesa disse novamente que aquilo era bruxaria e que ele deveria cortar a árvore imediatamente. O rei foi contra, mas a princesa o atormentou tanto que finalmente ele teve de ceder novamente.

Mas, ora! Quando as moças saíram para recolher as lascas da tília para acender o fogo, só encontraram prata pura.

— Não vale a pena — disse uma delas — contar isso ao rei ou à princesa, ou esses pedaços também serão queimados e derretidos. É melhor escondê-los em nossas gavetas. Eles serão de bom uso quando encontrarmos um amor e formos nos casar.

Todas concordaram com isso, mas, depois de carregarem as lascas por um tempo, elas ficaram tão terrivelmente pesadas que as moças não puderam deixar de olhar para ver qual era o problema. Então, descobriram que os pedaços haviam se transformado em uma criança, e não demorou muito para que ela se transformasse na princesa mais adorável que já se viu.

As moças podiam ver muito bem que havia algo de errado com aquela história. Então, pegaram roupas para ela, correram para encontrar o rapaz que havia ido buscar a princesa mais adorável de doze reinos e contaram a história a ele.

Ao encontrar Tom Vela, a princesa contou que a cozinheira a havia arrancado da árvore e jogado na represa. Contou-lhe também que era ela o peixe prateado, o pedaço de prata, a árvore, as lascas e que ela era a verdadeira princesa.

Não foi fácil conseguir falar com o rei, pois a feia cozinheira ficava ao redor dele o dia inteiro. Mas, por fim, eles inventaram uma história de que um rei vizinho havia lançado um desafio e conseguiram tirá-lo dos aposentos reais. Ao ver a adorável princesa, o rei ficou tão encantado que decidiu casar-se ali mesmo. Ao saber o que a cozinheira havia feito, ordenou que a rolassem colina abaixo em um barril cheio de pregos.

Então o rei e a verdadeira princesa se casaram, e a cerimônia foi tão linda que foi comentada em todos os dozes reinos.

O GALO ENCANTADO

Havia um casal de idosos que morava com o filho casado e a esposa dele. O nome do filho era Helli. Ele era um filho zeloso, mas a esposa era uma rabugenta. Ela estava sempre arrumando problemas com os idosos e falhas no marido e também com todas as outras pessoas do local.

Certa manhã, quando viu o marido tirar o arco e as flechas, ela perguntou:

— Aonde você está indo agora?

— Vou caçar — respondeu ele.

— Veja como você é! — ela gritou. — Você vai se divertir caçando e não pensa em mim, que tenho de ficar em casa sozinha com dois velhos estúpidos!

— Se eu não for caçar — disse Helli — e abater algum animal, nada teremos para colocar na panela para o jantar, e então você terá motivos para me repreender.

Com isso, a mulher começou a chorar.

— Claro, a culpa é minha, como sempre! Aconteça o que acontecer, a culpa é minha!

O pobre Helli se apressou, esperando que, quando voltasse, sua esposa estivesse em um estado de espírito mais calmo. Mas ele teve pouco sucesso com sua caça. Ele atirava flecha após flecha, mas sempre errava o alvo. Então, quando tinha apenas uma flecha, viu um galo silvestre em pé em um matagal tão próximo que havia pouca probabilidade de ele errar o alvo.

Ele apontou bem, mas, antes que pudesse disparar, o galo disse:

— Não atire em mim, irmão! Leve-me para casa vivo.

Helli fez uma pausa e depois balançou a cabeça.

— Eu tenho de atirar em você, porque não temos nada para colocar na panela para o jantar.

Mais uma vez ele apontou sua flecha e novamente o galo disse:

— Não atire em mim, irmão! Leve-me para casa vivo.

Pela segunda vez, Helli parou.

— Gostaria de poupar você — disse ele —, mas o que minha esposa diria se eu chegasse em casa de mãos vazias?

Ele mirou novamente e pela terceira vez o galo disse:

— Não atire em mim, irmão! Leve-me para casa vivo.

Nesse momento, Helli deixou cair a flecha.

— Eu não ligo para o que ela vai dizer! Não posso atirar em uma criatura que implora com tanta lástima por sua vida!

Muito bem, senhor galo, farei o que você diz: vou levá-lo para casa vivo. Mas não me culpe se minha esposa torcer seu pescoço.

Ele pegou o galo nos braços e começou a voltar para casa.

— Alimente-me por um ano — disse o galo silvestre —, e eu o recompensarei.

Quando chegaram em casa e a esposa de Helli viu o galo, ela gritou petulantemente:

— Veja tudo o que você conseguiu, e esteve caçando a manhã toda! Isso não será jantar suficiente para quatro pessoas!

— Este galo não deve ser morto — anunciou Helli. — Vou mantê-lo por um ano e alimentá-lo.

— Não é preciso muito para alimentar um galo silvestre — observou o velho.

No entanto, a esposa ficou enraivecida.

— O quê? Alimentar um pássaro inútil quando não há comida suficiente para alimentar sua própria família?

Helli, porém, foi firme e, apesar das ameaças, a esposa não se atreveu a maltratar o galo.

No final de um ano, cresceu uma pena de cobre na cauda do galo silvestre, a qual ele depositou no portão e depois desapareceu.

A esposa de Helli debochou:

— Uma pena de cobre! Essa é sua recompensa por alimentar esse pássaro ingrato por um ano inteiro! E agora ele escapou!

Entretanto, no dia seguinte, o galo voltou.

— Alimente-me por mais um ano — disse o galo a Helli —, e eu o recompensarei.

A esposa fez uma ladainha horrível por causa disso, mas Helli foi firme e, por mais um ano, ele alimentou e acariciou o galo silvestre.

No final do segundo ano, cresceu uma pena de prata no rabo do galo silvestre, a qual ele depositou no portão e depois desapareceu.

— Uma pena de prata! — exclamou a esposa de Helli. — Então, isso é tudo o que você ganha por alimentar esse pássaro ingrato o ano inteiro! E agora ele escapou!

O galo, porém, não havia fugido e voltou no dia seguinte.

— Alimente-me por mais um ano — disse ele a Helli —, e eu o recompensarei.

No final do terceiro ano, cresceu uma pena de ouro na cauda do galo silvestre. Quando ela caiu no portão da casa, a esposa rabugenta não teve muito a dizer, pois uma pena de ouro era, afinal, um pagamento muito bom para alguns punhados de grão.

Por um dia, o galo desapareceu. Quando voltou, disse a Helli:

— Suba nas minhas costas, e eu o recompensarei.

Helli fez isso, e o galo, subindo alto no ar, voou para longe. Eles voaram até alcançar o vasto oceano e depois voaram sobre o oceano, até Helli nada poder ver além de água em qualquer direção que olhasse.

"Espero poder aguentar!", ele disse consigo mesmo, estremecendo.

Enquanto ele falava, o galo silvestre escorregou de baixo dele e ele caiu, caiu, caiu. No entanto, antes de tocar na água, o galo mergulhou embaixo dele e o pegou novamente no ar. Ele teve essa mesma experiência terrível uma segunda e uma terceira vez, e cada vez ele pensava que seu último momento havia chegado.

— Agora — disse o galo a ele — você sabe quais eram meus sentimentos quando ameaçou três vezes atirar em mim com sua flecha.

— Você me ensinou uma lição — disse Helli.

Depois disso, o galo voou sem parar. Por fim, ele disse:

— Olhe para a frente, mestre, e me diga o que vê.

Helli apertou os olhos e olhou.

— Muito, muito à frente, vejo o que parece ser uma coluna de cobre.

— Bom! — disse o galo silvestre. — Essa é a casa da minha irmã mais velha. Ela ficará muito feliz em nos ver e, quando ouvir como você poupou minha vida, ela vai querer dar a você um presente e oferecerá várias coisas. Siga o meu conselho e diga a ela que a única coisa que você quer é a caixinha trancada, cuja chave está perdida. Se ela não lhe der isso, não aceite nada.

A irmã mais velha do galo silvestre os recebeu com muita hospitalidade e, quando ouviu a história deles, ofereceu a Helli qualquer coisa que ele pudesse gostar entre seus tesouros.

— Então me dê sua caixinha trancada com a chave que está perdida — disse Helli.

A irmã mais velha balançou a cabeça.

— Minha pequena caixa trancada! Quem lhe falou sobre isso? Sinto muito, mas não posso lhe dar isso! Peça qualquer outra coisa!

— Não — disse Helli. — É isso ou nada.

Quando o galo viu que Helli não conseguiria convencer a irmã mais velha a dar sua pequena caixa trancada, o galo fez Helli montar em suas costas mais uma vez, e eles voaram.

— Agora vamos visitar minha segunda irmã — anunciou ele. — Se ela lhe oferecer um presente, peça a pequena caixa trancada sem chave e nada mais aceite.

E eles voaram e voaram, até que o castelo da irmã mais velha ficou para trás.

— Olhe, mestre — disse o galo —, olhe para a frente e me diga o que vê.

Helli apertou os olhos e olhou.

— Bem à frente, vejo algo que se parece com uma nuvem de prata.

— Esse — disse o galo — é o castelo de prata da minha segunda irmã.

No castelo de prata, a segunda irmã os recebeu com alegria e, quando ouviu quem Helli era, declarou no mesmo momento que queria demonstrar sua gratidão e lhe dar um presente.

— Peça o que você quiser — disse ela —, e você o terá.

Entretanto, quando ele pediu a pequena caixa trancada sem chave, ela gritou:

— Não! Não! Isso não! Peça outra coisa!

— Mas eu não quero mais nada! — disse Helli.

Quando o galo viu que sua segunda irmã não iria se separar da caixinha trancada, ordenou que Helli montasse em suas costas e então eles voaram novamente.

— Desta vez iremos à minha irmã mais nova — anunciou ele. — Se ela lhe oferecer um presente, peça a mesma coisa.

E eles voaram, voaram até que o castelo de prata se perdeu de vista.

— Agora, mestre, olhe para a frente e me diga o que vê.

Helli apertou os olhos e olhou.

— Parece que vejo uma névoa dourada como o Sol atrás de uma nuvem.

— Esse é o castelo dourado da minha irmã mais nova.

Eles chegaram, e a irmã mais nova apertou o galo silvestre em seus braços, pois o amava muito e não o via há muito tempo.

— Bem-vindo, irmão! — disse ela. — E seja bem-vindo também, Helli!

Então ela ofereceu um presente a Helli e, quando ele pediu a caixinha trancada sem chave, ela a entregou a ele imediatamente.

— É o meu bem mais precioso — disse ela —, mas você pode ficar com ele, pois poupou a vida do meu querido irmão quando poderia tê-la tirado.

Depois de descansarem e festejarem, eles se despediram da irmã mais nova, e Helli, com sua preciosa caixa firmemente segura em uma mão, subiu nas costas do galo silvestre. Eles voaram em direção à casa de Helli.

— Cuidado com a caixa — disse o galo — e não a solte de suas mãos até chegarmos a um lugar bonito onde você gostaria de sempre viver.

Eles passaram por montanhas altas, lagos arborizados e vales férteis.

— Vamos parar por aqui? — perguntou o galo silvestre. — Ou aqui? Ou aqui?

Mas sempre Helli dizia:

— Não, aqui não.

Finalmente, eles chegaram em casa, e o galo disse a Helli que agora eles iriam se separar para sempre.

— Poupando minha vida três vezes — disse o galo silvestre — e depois me alimentando por três anos, você quebrou o encantamento que me prendia, e agora não mais precisarei viver como um galo silvestre. Agora poderei retomar minha vida em minha forma natural. Adeus, Helli. Quando você encontrar o lugar onde acha que gostaria de viver para sempre, largue a caixa e descobrirá que tem um tesouro que o recompensará muito bem por sua gentileza comigo.

O galo desapareceu, e Helli disse para si mesmo: "Onde eu iria querer morar sempre, senão aqui em casa, com meu querido pai e minha amada mãe, e também com minha esposa, que é minha esposa, mesmo que às vezes me repreenda!"

Então, em sua casa, depois que todos jantaram juntos, ele deixou cair a caixa no chão. Ela se quebrou, e dela saiu um belo castelo com criados e riquezas e tudo o que Helli sempre quis e nunca teve. E Helli, seu velho pai, sua mãe e sua esposa viveram nele e foram felizes. E, aos poucos, a esposa dele superou o hábito de ser rabugenta, porque, quando se está feliz, não há motivo para ser rabugento.

A LESTE DO SOL E A OESTE DA LUA

Certa vez, havia um pobre lenhador que tinha tantos filhos que não lhes podia dar comida ou roupas suficientes. Todos eles eram muito bonitos, mas a mais bonita era a filha mais nova, tão adorável que não havia fim para sua beleza.

Aconteceu em uma quinta-feira. Era uma noite de outono e havia uma terrível tempestade. Estava escuro como breu lá fora e chovia muito, de modo que a casa tremia em cada junta. A família inteira estava sentada em volta da lareira, e cada um estava ocupado em algum trabalho. De repente, eles ouviram três batidas fortes no vidro da janela. O homem saiu para ver quem estava lá e se deparou com um grande urso branco.

— Boa noite para você! — disse o urso branco.

— O mesmo para você — disse o homem.

— Se você me der a mão de sua filha mais nova, vou fazê-lo tão rico quanto você agora é pobre — disse o urso.

Bem, o homem não ficaria insatisfeito em ser tão rico. No entanto, ele pensou que primeiro deveria falar com a filha sobre isso. Então entrou em casa novamente e disse que havia um urso branco do lado de fora e que ele prometera torná-lo tão rico quanto ele era pobre agora se pudesse ter a filha mais nova como sua noiva. Mas a garota disse que não e não quis ouvir. Então o homem voltou para dar a resposta ao urso, que disse:

— Vou lhe dar um tempo para pensar. Na próxima quinta-feira à noite, volto para buscar sua resposta.

Enquanto isso, entretanto, os pais conversaram com a filha sobre todas as riquezas que ganhariam e sobre como ela mesma se sairia bem. Por fim, ela concordou, lavou e consertou as poucas roupas pobres que tinha, arrumou-se o melhor que pôde e se preparou para viajar. Não foi muito difícil arrumar toda a sua bagagem.

Na quinta-feira seguinte, o urso branco foi buscar sua noiva. A garota sentou-se nas costas dele com o embrulho, e então ele partiu. Quando eles já tinham percorrido uma boa distância, o urso branco perguntou:

— Você tem medo?

— Não, de jeito nenhum — respondeu ela.

— Segure em meu pelo com força, e assim você não estará em perigo — disse o urso.

Então ela cavalgou nas costas do urso para muito, muito longe, até que finalmente chegaram a uma grande rocha. O urso bateu e, no mesmo instante, uma porta se abriu, e por ela eles entraram em um grande castelo, com muitas salas iluminadas, onde tudo brilhava com ouro e prata. Então eles adentraram um grande salão, onde havia uma mesa completamente coberta com os pratos mais esplêndidos. O urso branco deu à donzela um sino de prata e disse que, se houvesse algo que ela desejasse, ela só precisaria tocar o sino, e ela o teria imediatamente.

Depois que a donzela comeu e a noite caiu, ela sentiu vontade de deitar e dormir. Então ela tocou o sino e, no mesmo instante, viu-se transportada para um quarto onde ficava a cama mais bonita que alguém poderia desejar, com almofadas de seda e cortinas com pompons dourados; e tudo o que havia no quarto era de ouro e prata.

Entretanto, quando ela apagou a luz e foi para a cama, alguém entrou no quarto e se deitou na outra cama. Era o urso branco, que tinha permissão de se desfazer dos pelos durante a noite. Isso acontecia todas as noites, mas ela nunca o via, pois ele sempre vinha depois de ela apagar a luz. E, antes do amanhecer, ele se levantava e desaparecia novamente.

Por um tempo, tudo correu bem, mas, gradualmente, a donzela foi ficando triste e silenciosa, pois não havia ninguém para lhe fazer companhia o dia inteiro, e sentia muita saudade de seus pais e irmãs. Quando o urso branco perguntou a ela o que a incomodava, ela lhe disse que se sentia muito sozinha, que queria muito ver seus pais e irmãs novamente e ficava muito triste porque não podia fazê-lo.

— Podemos resolver isso — disse o urso branco. — Mas primeiro você deve me prometer que nunca vai falar com sua mãe quando estiverem a sós, somente quando os outros estiverem presentes. É provável que ela tente levar você ao quarto dela, para que possa falar com você sozinha. Mas você não deve permitir; caso contrário, fará a nós dois infelizes.

Então, em um domingo, o urso branco disse que agora ela poderia fazer uma viagem à casa de seus pais. Ela se sentou nas costas do urso, e eles partiram. Depois de terem percorrido uma longa distância, chegaram finalmente a uma casa branca enorme, diante da qual seus irmãos e irmãs corriam e brincavam, e tudo era tão rico e esplêndido que só olhar para aquilo era um verdadeiro prazer.

— É aqui que seus pais moram — disse o urso branco. — Só não se esqueça do que eu lhe disse, ou você nos deixará infelizes.

— Que os céus não permitam que eu me esqueça — disse a donzela.

E, quando chegaram a casa, ela desceu, e o urso foi embora.

Quando a filha entrou na casa dos pais, eles ficaram mais do que felizes. Disseram a ela que não podiam agradecê-la o suficiente pelo que ela havia feito e que agora todos estavam vivendo esplendidamente. Então eles perguntaram como ela estava. A donzela respondeu que tudo estava bem com ela também e que ela tinha tudo que seu coração podia desejar.

Então, à tarde, depois do jantar, aconteceu como o urso branco havia previsto: a mãe quis conversar com a filha sozinha, no quarto dela. Contudo, a filha pensou no que o urso branco havia lhe dito e não quis ir com a mãe. Ela disse:

— Tudo o que temos a dizer uma à outra também pode ser dito aqui.

No entanto – ela própria não sabia exatamente como isso aconteceu –, sua mãe finalmente a convenceu, e então ela teve de contar exatamente como as coisas eram. Ela contou que, assim que apagava a luz à noite, um homem vinha e se deitava na outra cama. Ela nunca o vira, pois ele sempre ia embora antes do amanhecer. Isso a entristecia, pois ela queria muito vê-lo; ficava sozinha o dia todo, e aquilo era muito triste e solitário.

— Ah, céus, talvez ele seja um *troll*! — disse a mãe. — Mas eu posso lhe dar alguns bons conselhos sobre como você pode vê-lo. Aqui está um final de vela, que você deve esconder embaixo da sua touca. Quando o *troll* estiver dormindo, acenda a luz e olhe para ele. Mas tome cuidado para não deixar cair nenhuma gota de sebo sobre ele.

A filha pegou a ponta da vela e a escondeu na touca. À noite, o urso branco foi buscá-la.

Depois de percorrerem um bom trecho, o urso branco perguntou se tudo havia acontecido exatamente como ele havia dito. Sim, era esse o caso, e a donzela não podia negar.

— Se você seguir o conselho de sua mãe, nos deixará infelizes, e estará tudo terminado entre nós — disse o urso.

— Ah, não, ela não fez isso — respondeu a donzela.

Quando chegaram em casa e a donzela foi para seu quarto, tudo aconteceu como sempre: um homem entrou e se deitou na cama ao lado. À noite, porém, quando o ouviu dormir profundamente, levantou-se e acendeu a vela. Ela colocou a luz sobre ele e viu o mais belo príncipe que alguém poderia imaginar. E ela gostou tanto dele que pensou que seria incapaz de continuar vivendo se não pudesse beijá-lo naquele mesmo minuto. E assim ela fez, mas, por infelicidade, deixou cair três gotas quentes de sebo sobre ele, e ele acordou.

— Céus, o que foi que você fez! — exclamou ele. — Agora você nos fez infelizes! Se você tivesse esperado até o final do ano, eu teria me libertado. Tenho uma madrasta que me lançou um feitiço, de modo que, durante o dia, sou um urso e, à noite, um ser humano. Mas agora está tudo terminado entre nós, e devo retornar à minha madrasta. Ela vive em um castelo que fica a leste do Sol e a oeste da Lua, onde há uma princesa com um nariz de três metros de comprimento, com quem agora devo me casar.

A donzela chorou e se lamentou, mas foi tudo em vão, pois o príncipe disse que precisava partir. Então ela perguntou se poderia ir com ele.

— Não — disse ele —, isso não pode ser.

— Mas você não pode pelo menos me dizer o caminho para que eu possa procurá-lo? Certamente, terei permissão para isso.

— Sim, isso você pode fazer — disse ele. — Mas não há estrada que leve até lá. O castelo fica a leste do Sol e a oeste da Lua, e nem agora nem em nenhum outro momento você encontrará o caminho que leva até ele.

Quando a donzela acordou na manhã seguinte, o príncipe e o castelo haviam desaparecido. Ela estava deitada em uma clareira verde, no meio de uma floresta densa e escura, e ao lado dela estava a sacola com os poucos pertences que trouxera de casa.

Depois de esfregar os olhos e chorar, ela partiu e vagou por muitos e muitos dias, até que finalmente chegou a uma grande colina, diante da qual estava uma velha que brincava com uma maçã dourada. A donzela perguntou à mulher se ela não sabia qual estrada levava ao príncipe que morava no castelo que ficava a leste do Sol e a oeste da Lua, que iria se casar com uma princesa com um nariz de três metros de comprimento.

— Como você o conhece? — perguntou a mulher. — Você é, talvez, a donzela com quem ele queria se casar?

— Sim, eu sou a donzela — respondeu ela.

— Então você é a tal garota — disse a mulher. — Bem, minha filha, lamento dizer que tudo o que sei sobre ele é que ele mora no castelo que fica a leste do Sol e a oeste da Lua e que você provavelmente nunca chegará lá. Mas vou lhe emprestar meu cavalo, no qual você poderá cavalgar até minha vizinha, e talvez ela possa lhe dizer alguma coisa. Quando você chegar lá, sopre atrás da orelha esquerda do cavalo e ordene que ele volte para casa. E, tome, leve esta maçã dourada!

A donzela montou no cavalo e cavalgou por muito, muito tempo. Por fim, ela chegou novamente a uma colina, diante da qual estava sentada uma velha com um carretel de ouro. A donzela perguntou se ela não podia lhe dizer a estrada que levava ao castelo que ficava a leste do Sol e a oeste da Lua. A mulher disse exatamente o que a outra havia dito: não, a única coisa que ela sabia sobre o castelo era que ele ficava a leste do Sol e a oeste da Lua.

— E — disse ela —, você provavelmente nunca chegará lá. Mas eu vou lhe emprestar meu cavalo para você cavalgar até a vizinha mais próxima. Talvez ela possa lhe dizer alguma coisa. Quando você chegar lá, basta soprar atrás da orelha esquerda do cavalo e ordenar que ele volte para casa.

Por fim, ela deu à donzela o carretel de ouro, dizendo que ele poderia ser útil.

A donzela então montou no cavalo e novamente cavalgou por muito, muito tempo. Por fim, mais uma vez chegou a uma grande colina, diante da qual estava sentada uma velha tecendo em um fuso de ouro. Então a donzela mais uma vez perguntou pelo príncipe e pelo castelo que ficava a leste do Sol e a oeste da Lua. E tudo aconteceu exatamente como nas duas ocasiões anteriores.

— Você é a donzela com a qual o príncipe queria se casar? — perguntou a velha.

— Sim, sou eu a donzela — respondeu a donzela.

Entretanto, essa velha não sabia mais sobre a estrada do que as outras duas.

— Sim, o castelo fica a leste do Sol e a oeste da Lua, que eu saiba — disse ela. — E você provavelmente nunca chegará lá. Mas vou lhe emprestar meu cavalo, e você pode cavalgar até o Vento Leste e perguntar a ele. Talvez ele o conheça e possa soprá-la na direção correta. E, quando você encontrá-lo, basta soprar na orelha esquerda do cavalo, e ele voltará aqui por sua própria vontade.

Finalmente, a velha deu a ela seu fuso de ouro.

— Talvez possa ser útil para você — disse ela.

A donzela então cavalgou por muitos dias e semanas e levou muito, muito tempo para alcançar o Vento Leste. Quando finalmente o encontrou, perguntou ao vento se ele poderia lhe mostrar a estrada que levava ao príncipe que morava no castelo que ficava a leste do Sol e a oeste da Lua.

— Ah, sim, eu já ouvi falar do príncipe e também do castelo — disse o Vento Leste —, mas não conheço a estrada que leva a eles, pois nunca havia soprado tão longe. Mas, se você quiser, eu a levarei ao meu irmão, o Vento Oeste, e talvez ele possa lhe dizer, pois ele é muito mais forte que eu. Sente-se em minhas costas, e eu levarei você até ele.

A donzela fez o que o vento disse, e eles se afastaram rapidamente. Quando chegaram ao Vento Oeste, o Vento Leste lhe disse que estava trazendo a donzela com quem o príncipe que vivia no castelo que ficava a leste do Sol e a oeste da Lua queria se casar. Disse que ela estava viajando para tentar encontrá-lo e que ele a acompanhara para descobrir se o Vento Oeste sabia onde ficava o castelo.

— Não— disse o Vento Oeste à donzela. — Eu nunca soprei até lá, mas, se você desejar, levarei você ao Vento Sul, que é muito mais forte que nós dois e viajou por toda parte, e talvez ele possa lhe dizer. Sente-se nas minhas costas, e eu vou levá-la até ele.

Assim fez a donzela, e eles voaram rapidamente em direção ao Vento Sul. Quando o encontraram, o Vento Oeste perguntou se o Vento Sul poderia lhes mostrar a estrada que levava ao castelo que ficava a leste do Sol e a oeste da Lua e que essa era a donzela que deveria se casar com o príncipe.

— Bem, bem, então esta é a garota! — exclamou o Vento Sul. — Sim, é verdade que fiz muitas coisas durante a minha vida, mas nunca soprei tão longe. Mas, se você quiser, eu o levarei ao meu irmão, o Vento Norte. Ele é o mais velho e mais forte de todos nós. Se ele não souber onde fica o castelo, ninguém no mundo inteiro poderá lhe dizer. Sente-se nas minhas costas, e eu vou levá-la até ele.

A donzela sentou-se nas costas do Vento Sul, e ele voou para longe com um rugido. A viagem não demorou muito.

Quando chegaram à morada do Vento Norte, ele estava tão selvagem e rude que soprou uma rajada fria neles enquanto ainda estavam a uma boa distância.

— O que vocês querem? — perguntou assim que os viu, de modo que um calafrio percorreu as costas da moça.

— Você não deveria nos receber com tanta grosseria — disse o Vento Sul. — Sou eu, o Vento Sul. E esta é a donzela que queria se casar com o príncipe que mora no castelo que fica a leste do Sol e a oeste da Lua. Ela deseja perguntar se você já esteve lá e se pode mostrar a ela o caminho que leva até ele, pois ela gostaria de reencontrar o príncipe.

— Ah, sim, eu sei muito bem onde fica o castelo — disse o Vento Norte. — Soprei uma folha de álamo lá apenas uma vez e fiquei tão cansado que não consegui soprar durante vários dias. Mas, se você quiser chegar lá acima de todas as coisas e não tiver medo de mim, posso levá-la nas minhas costas e ver se posso soprar até lá.

A donzela disse que precisava, que iria chegar ao castelo por qualquer meio possível e que ela não tinha medo, por mais difícil que fosse a jornada.

— Muito bem, então você deve passar a noite aqui — disse o Vento Norte. —Porque, se quisermos chegar amanhã, precisaremos viajar o dia inteiro.

Na manhã seguinte, o Vento Norte despertou a donzela. Então ele soprou e se tornou tão enorme e forte que dava medo de olhar. Voaram pelo ar como se quisessem chegar ao fim do mundo imediatamente. Em todos os lugares por onde passavam, ele causava tempestades tão fortes que as florestas eram arrancadas pelas raízes, as casas eram destruídas e, enquanto atravessavam o mar, os navios afundavam às centenas. E assim atravessaram a terra e o mar. Mas, pouco a pouco, o Vento Norte foi se cansando e ficando cada vez mais fraco. Por fim, ele mal conseguia continuar e voava tão baixo que as ondas lavavam seus tornozelos.

— Você está com medo? — perguntou o Vento Norte.

— Não, de jeito nenhum — respondeu a donzela.

A essa altura, eles não estavam muito distantes da terra, e o Vento Norte tinha força suficiente para poder pousar a donzela na praia, sob as janelas do castelo que ficava a leste do Sol e a oeste da Lua. Ele estava tão cansado e miserável que teria de descansar muitos dias antes de poder voltar para casa.

Na manhã seguinte, a donzela estava sentada sob as janelas do castelo e brincava com a maçã dourada. A primeira pessoa que se mostrou foi o monstro com o nariz enorme com quem o príncipe se casaria.

— O que você quer por sua maçã dourada? — perguntou a princesa com o nariz enorme, enquanto abria a janela.

—Não vou vendê-la nem por ouro nem por dinheiro — respondeu a donzela.

— Bem, o que você quer, então, se não quer vendê-la por ouro ou por dinheiro? — perguntou a princesa. — Peça o que quiser!

— Eu só quero falar esta noite com o príncipe que mora aqui, então eu lhe darei a maçã — disse a donzela que veio com o Vento Norte.

A princesa respondeu que poderia conseguir isso, e então recebeu a maçã dourada. Mas, quando a donzela entrou no quarto do príncipe à noite, ele estava dormindo profundamente. Ela o chamou e sacudiu, chorou e se lamentou, mas não conseguiu acordá-lo. Pela manhã, logo que amanheceu, a princesa de nariz comprido apareceu e a expulsou.

Naquele dia, a donzela sentou-se novamente sob as janelas do castelo e girava seu carretel de ouro. E tudo correu como no dia anterior. A princesa perguntou o que ela queria pelo carretel, e a donzela respondeu que não o venderia nem por ouro nem por dinheiro, mas, se pudesse falar naquela noite com o príncipe, então daria o carretel à princesa. No entanto, quando a donzela chegou ao quarto do príncipe, ele estava outra vez dormindo profundamente e, por mais que ela chorasse e lamentasse, não foi capaz de acordá-lo. Assim que o dia amanheceu, a princesa de nariz comprido chegou e a expulsou. E naquele dia a donzela sentou-se novamente sob as janelas do castelo e girava seu fuso de ouro; e, é claro, a princesa de nariz comprido também queria se apossar do fuso. Ela abriu a janela e perguntou o que a donzela queria pelo fuso dourado. A donzela respondeu, como nas outras vezes, que não venderia o fuso nem por ouro nem por dinheiro, mas que a princesa poderia tê-lo se ela pudesse falar com o príncipe novamente naquela noite. Sim, ela poderia, disse a princesa nariguda, e pegou o fuso de ouro.

Acontece que alguns cristãos, que estavam em cativeiro no castelo e alojados em um quarto ao lado daquele do príncipe, ouviram a mulher chorar e se lamentar no quarto do príncipe nas últimas duas noites e contaram a ele. E, naquela noite, quando a princesa nariguda foi até seu quarto levar a bebida da noite, o príncipe fingiu beber, mas, em vez disso, derramou-a por trás das costas, pois podia imaginar que ela havia colocado no copo um pó para dormir. Então, quando a donzela entrou, o príncipe estava acordado, e ela contou a ele como havia encontrado o castelo.

— Você chegou bem a tempo — disse ele —, pois amanhã vou me casar com a princesa. Mas eu não quero o monstro narigudo, e você é a única pessoa que pode me salvar. Eu direi que primeiro desejo ver se minha noiva é uma dona de casa capaz e exigir que ela lave as três gotas de sebo de minha camisa. Ela naturalmente concordará com isso, pois não sabe que você fez as manchas e que somente mãos cristãs podem retirá-las, e não as mãos desse bando de *trolls*. Depois direi que só me casarei com a donzela que conseguir retirar as manchas e pedirei que o faça.

E então ambos se alegraram e ficaram muito felizes.

No dia seguinte, quando o casamento aconteceria, o príncipe disse:

— Primeiro eu gostaria de ver o que minha noiva pode fazer!

— Sim, isso não é mais do que certo — disse a madrasta.

— Eu tenho uma camisa muito bonita — continuou o príncipe — que gostaria de usar no casamento. Mas há três pontos de sebo nela, e eles devem ser lavados. Fiz um voto de não me casar com ninguém que não seja a mulher que possa fazer isso. Então, se minha noiva não conseguir fazê-lo, ela não serve para mim.

Bem, isso não seria uma tarefa difícil, disseram as mulheres, e todos concordaram com a proposta. E a princesa de nariz comprido começou imediatamente a lavar a camisa. Ela lavou com toda a sua vontade e força e se esforçou ao máximo, mas, quanto mais lavava e esfregava, maiores ficavam as manchas.

— Ah, você não sabe lavar! — disse a mãe dela, a esposa do velho *troll*. — Dê-me isso aqui!

No entanto, assim que pegou a camisa na mão, a mancha começou a piorar e, quanto mais ela lavava e esfregava, maiores e mais pretas ficavam as manchas. Então as outras mulheres *troll*s tiveram de vir e tentar lavar, mas, quanto mais lavavam a camisa, mais feia ela ficava. Por fim, parecia que a camisa esteve pendurada na chaminé.

— Ora, vocês são todas inúteis! — disse o príncipe. — Do lado de fora da janela há uma garota mendiga. Tenho certeza de que ela é uma lavadeira melhor do que todas vocês juntas. Você, garota, entre aqui! — ele gritou pela janela; e, quando a donzela entrou, ele disse: — Você acha que pode lavar esta camisa para mim?

— Eu não sei — respondeu a donzela —, mas vou tentar.

E, logo que ela mergulhou a camisa na água, ela ficou tão branca quanto a neve recém-caída.

— Vejam só, e você é quem eu quero! — disse o príncipe.

Então a velha *troll* ficou tão brava que explodiu em duas, e a princesa com o nariz comprido e o resto do bando de *troll*s provavelmente também, pois nunca mais ouvi dizer algo sobre elas. O príncipe e sua noiva libertaram todos os cristãos que haviam sido mantidos em cativeiro no castelo, juntaram o máximo de ouro e prata que podiam levar com eles e foram para bem longe do castelo que fica a leste do Sol e a oeste da Lua.

O MENINO QUE PROCUROU O VENTO DO NORTE

Era uma vez uma velha viúva que tinha um filho e, como ela estava muito doente e fraca, ele tinha de subir até o celeiro para pegar comida para cozinhar. Uma vez, logo após ter pego a comida, ele estava descendo a escada quando os ventos do Norte sopraram tão forte que sua comida saiu voando pelos ares. O rapaz voltou ao celeiro para buscar mais, mas foi só começar a descer os degraus que o vento do norte voltou e levou a refeição com uma baforada. Uma terceira vez isso aconteceu. Com isso, o rapaz ficou muito zangado e, como achava inaceitável que o vento do Norte se comportasse dessa maneira, decidiu procurá-lo e pedir a ele que parasse de roubar sua comida.

Então ele partiu em busca do vento. O caminho era longo, e ele teve de andar muito, mas, finalmente, chegou à casa do vento do Norte.

— Bom dia! — cumprimentou o rapaz — e obrigado por ter vindo nos visitar ontem.

— Bom dia! — respondeu o vento do Norte, e sua voz era alta e rouca — E obrigado por vir me visitar. O que você quer?

— Ah! — respondeu o rapaz. — Só queria pedir que você fosse bom e me devolvesse a refeição que tirou de mim enquanto descia as escadas, pois não temos muito para comer. E, se você continuar levando nossa comida, morreremos de fome.

— Sua comida não está comigo — disse o vento do norte —, mas, se você está tão necessitado, eu vou lhe dar uma toalha que lhe trará tudo o que você desejar. Você só precisa dizer "Toalha, abra-se e sirva-me todos os tipos de bons pratos!".

O rapaz ficou muito contente com isso. No entanto, como o caminho era tão longo que ele não conseguia chegar em casa em um único dia, ele parou em uma pousada no caminho. Quando todos se sentaram para jantar, o menino colocou a toalha em uma mesa que estava no canto e disse:

— Toalha, abra-se e sirva-me todos os tipos de bons pratos.

Ele mal havia dito aquelas palavras e a toalha fez o que lhe fora pedido. Todos os que estavam por perto ficaram maravilhados, principalmente o dono da pousada. Então, na calada da noite, quando todos estavam dormindo profundamente, ele pegou a toalha do rapaz e colocou outra no lugar, exatamente igual à que ele havia recebido do vento do Norte, mas que não podia servir nada além de pão seco.

No outro dia, quando o rapaz acordou, ele pegou a toalha e foi embora. Naquele dia, chegou em casa e encontrou sua mãe.

— Eu estive na casa do vento do Norte, e ele é um bom companheiro, pois me deu esta toalha. Basta dizer: "Toalha, abra-se e sirva-me todos os tipos de bons pratos", que ela me dá qualquer tipo de comida que eu deseje.

— Tudo muito bem, ouso dizer — disse a mãe —, mas gosto de ver para crer.

Então o rapaz se apressou, pegou uma mesa, colocou a toalha sobre ela e disse:

— Toalha, abra-se e sirva-me todos os tipos de bons pratos.

Mas a toalha serviu apenas um pouco de pão seco.

— Bem — disse o rapaz —, terei de procurar o vento do Norte novamente.

E lá foi ele.

O menino foi até onde o vento do Norte morava nos finais de tardes.

— Boa tarde! — disse o rapaz.

— Boa tarde! — disse o vento do Norte.

— Quero meus direitos por aquela refeição que você roubou — disse o rapaz —, pois a toalha que você me deu não vale um centavo.

— Não estou com a sua comida — disse o vento do norte —, mas vou lhe dar um carneiro que produzirá ouro assim que você disser: "Carneiro, carneiro! Faça dinheiro!".

O rapaz ficou maravilhado, mas, como era muito longe para chegar em casa naquele dia, passou a noite na mesma pousada onde havia dormido antes.

Antes de pedir qualquer coisa, o menino quis testar se o que o vento do Norte havia dito sobre o carneiro era verdade. Quando o proprietário viu aquilo, pensou que se tratava de um carneiro valioso e, quando o rapaz dormiu, pegou outro que não produzia ouro e trocou os dois.

Na manhã seguinte, o rapaz partiu. Quando chegou em casa e encontrou sua mãe, disse:

— Afinal, o vento do Norte é um bom camarada, pois ele me deu um carneiro que pode produzir ouro. Basta eu dizer: "Carneiro, carneiro! Faça dinheiro!".

— Tudo bem verdade, ouso dizer — disse a mãe —, mas não acredito até ver o ouro.

— Carneiro, carneiro! Faça dinheiro! — disse o rapaz, mas, se o carneiro fez alguma coisa, não foi dinheiro.

O menino foi mais uma vez falar com o vento do Norte, dizendo que o carneiro não valia nada e que ele deveria ser recompensado pela refeição roubada.

— Bem — disse o vento do Norte —, nada mais tenho para lhe dar, a não ser aquela velha vara ali no canto. Mas ela é daquele tipo que se você disser: "Vara, Vara! Bata sem cessar!", ela vai fazer isso até você dizer: "Vara, Vara! Agora pode parar!".

Assim, como o caminho era longo, o rapaz voltou novamente à pousada naquela noite. Como podia muito bem adivinhar o que havia acontecido com a toalha e o carneiro, ele se deitou imediatamente no banco e começou a roncar, como se estivesse dormindo.

O proprietário, que logo imaginou que a vara devia valer alguma coisa, procurou uma que fosse igual a ela e, quando ouviu o rapaz roncar, tentou trocar as duas. Mas, assim que o homem encostou no objeto, o rapaz gritou:

— Vara, vara! Bata sem cessar!

Então o pedaço de pau começou a bater no senhorio, até que ele gritou:

— Socorro! Faça com que esse pedaço de pau fique quieto! Prometo que você terá de volta tanto a sua toalha quanto o seu carneiro.

Quando o rapaz achou que o senhorio já havia aprendido a lição, ele disse:

— Vara, vara! Agora pode parar!

Então o rapaz pegou a toalha, colocou-a no bolso e foi para casa com o graveto na mão, guiando o carneiro por um cordão em volta dos chifres. E assim ele foi recompensado pela refeição que havia perdido.

O ALCE E A PRINCESA FLOR DE ALGODÃO

Há muito, muito tempo, existia uma princesa chamada Flor de Algodão, que morava no Castelo dos Sonhos com seu pai, o rei, e sua mãe, a rainha. A princesa Flor de Algodão era uma linda garota loira e esbelta e passara a vida inteira no castelo. Um dia, quando ela brincava nos campos, um grande alce passou por ali.

— Quem é você com uma coroa tão esplêndida? — perguntou a princesa.

— Sou Salto, o alce.

A princesa se levantou, aproximou-se do focinho trêmulo do alce e o acariciou suavemente.

— Você é grande e imponente. E você também tem uma coroa. Deixe-me ir com você. Deixe-me montar em suas costas e depois me leve para conhecer o mundo.

O alce hesitou e disse:

— O mundo é grande e frio, e você é muito pequena. O mundo está cheio de maldade, e ele pode machucá-la, princesa. A floresta é escura, e as estradas são perigosas.

— Mas você está comigo. Você é grande e forte e pode facilmente defender a nós dois. Por favor, me carregue pelo mundo e deixe-me ver como é a vida fora do castelo.

A princesa estava convencida de que o alce poderia protegê-la, então subiu nas costas dele e segurou em seus chifres. Então ele a levou para a floresta, em direção à casa dele.

Ao passarem por um campo, a princesa Flor de Algodão viu alguém dançar ao longe.

— Quem são elas? — ela perguntou.

— Elas são fadas. Mas tome cuidado, pois elas podem não ser confiáveis. Segure-se bem em meus chifres ou elas podem levá-la embora.

A princesa Flor de Algodão prometeu segurar-se, mas as fadas foram se aproximando cada vez mais e começaram a puxar seu vestido e seus cabelos. De repente, a coroa dourada da princesa Flor de Algodão começou a deslizar de sua cabeça. A princesa tentou segurá-la, mas as fadas eram muito fortes, e logo a coroa se foi.

O alce conseguiu levá-la para longe das fadas, mas a princesa Flor de Algodão ficou arrasada por ter perdido sua coroa.

— Poderia ter sido muito pior se você tivesse soltado meus chifres — disse o alce.

Eles caminharam um pouco mais e encontram um lugar com musgo macio e pararam para descansar. Pela manhã, a princesa Flor de Algodão acordou, ansiosa por explorar a floresta. Ao longe, ela viu algo se mover entre as árvores. Era uma mulher, com dois braços brancos que acenavam e um longo cabelo verde.

— Quem é ela? — perguntou a princesa.

— É a Dama da Floresta. Seja agradável com ela, mas não solte meus chifres, aconteça o que acontecer, ou ela irá encantá-la e você nunca mais sairá desta floresta — respondeu o alce.

A Dama da Floresta se aproximou e perguntou de onde vinha a princesa Flor de Algodão.

— Eu venho do Castelo dos Sonhos — respondeu a princesa.

— E que vestido lindo você está usando! Posso ver? — perguntou a mulher.

— É claro — respondeu a princesa e estendeu a barra do vestido com uma mão.

No entanto, assim que ela fez isso, a Dama da Floresta agarrou o vestido dela e disparou por entre as árvores.

— Meu vestido! Meu vestido! — gritou a princesa.

— Ah, por que você soltou meus chifres para mostrar o vestido? — perguntou o alce. — Se você tivesse soltado as duas mãos, teria de ir com ela e nunca mais voltaria.

A princesa agora estava nua, exceto por uma corrente de ouro em formato de coração que lhe cobria o peito.

Logo, a princesa e o alce chegaram a um lago escuro na parte mais profunda da floresta.

— Espere aí. Há perigos ocultos nas águas — avisou o alce.

A princesa Flor de Algodão, porém, já estava na margem do lago olhando para a água. Quando ela se inclinou para perto, seu coração de ouro escapou e desapareceu no fundo do lago.

— Ó, meu coração! O coração de ouro que minha mãe me deu no dia em que nasci! O que vou fazer agora?

A princesa ficou inconsolável e olhava para a água para ver se conseguia encontrar seu coração. O alce pediu que ela voltasse, mas o encantamento já a havia prendido.

— Vá, meu amigo. Deixe-me ficar aqui sozinha. Sei que encontrarei o coração.

Ela passou as mãos pela cabeça inclinada dele, beijou-o e o acariciou suavemente. Depois se sentou em uma colina coberta de grama.

Por um longo tempo, o alce ficou ali parado, olhando para a menininha. Mas, quando teve certeza de que ela não parecia mais notar que ele estava lá, ele se virou e desapareceu na floresta com passos hesitantes.

Muitos anos já se passaram, mas a princesa Flor de Algodão ainda olha ansiosamente para o lago, procurando por seu coração. A menina se foi, e agora ela é apenas uma flor, com o nome de flor de algodão. É uma pequena flor branca na beira do lago. De vez em quando, o alce vem visitá-la. Ele para por um momento e olha com ternura para a pequena. Ele é o único que sabe quem ela é: Flor de Algodão, a princesa. Talvez ela olhe para ele e sorria, pois ele é um velho amigo. Contudo, ela não quer mais segui-lo de volta ao mundo, não enquanto o encantamento a aprisionar. O encantamento está bem abaixo da superfície. No fundo da piscina, há um coração perdido, um coração de ouro.

SEM PAI E O *TROLL* GANANCIOSO

Os trolls faroenses são vistos como criaturas das trevas, muitas vezes selvagens, cruéis e com tendência a prender princesas em cativeiro para que tenham alguém para tirar piolhos dos seus cabelos. Eles se parecem fisicamente com seres humanos, mas são maiores e mais feios. Em geral, são criaturas fáceis de lidar e são fiéis às suas promessas.

Havia dois irmãos que moravam em uma pequena casa no bosque. Com eles morava um menino conhecido como Sem Pai, porque era filho bastardo, e o povo não conhecia o pai dele. Todos os dias, dois deles saíam para cortar lenha, e o terceiro ficava em casa para cozinhar o jantar.

Um dia, quando o mais velho estava em casa, um velho *troll* pobre bateu à porta e pediu para entrar. Ele era pequeno em estatura, mas assustador, e sua barba descia até os joelhos.

Ele disse que estava com frio e pediu licença para ficar junto à lareira por um tempo. O irmão mais velho concordou. Havia um tacho pendurado sobre o fogo, cozinhando, e o estrangeiro pediu um pouco para comer, pois estava com muita fome. O jovem teve pena daquela pobre criatura e deu-lhe um pedaço de pão para mergulhar na gordura. O velho comeu e, de repente, ganhou força. Ele queria comer toda a comida que havia! O irmão tentou impedi-lo, mas o *troll* o venceu, golpeando-o e arremessando-o para um canto, onde ele caiu quase sem vida. Quando os outros dois chegaram em casa, nada havia para comer, pois o *troll* havia comido tudo.

O irmão do meio disse que as coisas não seriam assim no dia seguinte, pois ele mesmo ficaria em casa. No outro dia, o mesmo pobre *troll* voltou, implorou da mesma maneira que antes e recebeu licença, pois o irmão achou que isso não lhes causaria nenhum dano. Assim que o *troll* comeu, ganhou força e bateu no rapaz. Quando os outros dois chegaram em casa à noite, o jovem estava deitado no canto, quase sem vida. Eles não comeram naquela noite também.

No terceiro dia, Sem Pai, o mais novo, pediu para ficar em casa, mas outros o desprezaram, dizendo que ele não tinha capacidade para o trabalho. O jovem argumentou que não poderia ser pior do que já havia acontecido com os irmãos, e assim os outros dois concordaram que ele ficasse.

De tarde, o *troll* bateu à porta. Sem Pai não quis deixá-lo entrar, mas o *troll* arranhou a porta até soltar o ferrolho da tranca e depois veio sentar-se perto do fogo. Ele pediu algo para comer, mas o garoto respondeu que nada podia oferecer, pois a panela ainda não começara a ferver. Então ele pediu ao *troll* para ajudá-lo um pouco, cortando lenha e colocando-a no fogo embaixo da panela.

Sem Pai encontrou um tronco muito grande e pediu que o *troll* o cortasse. Assim que o machado encostou no tronco, ficou preso. O *troll* pegou uma cunha e a martelou para poder soltar o machado, mas, enquanto fazia isso, sua barba caiu na fenda. O pobre coitado não conseguia se mexer. O jovem rapaz disse que se vingaria do que ele havia feito com os outros dois irmãos e começou a golpear o *troll* para que ele chorasse e se lamentasse. O *troll* tentou escapar, arrastando o tronco atrás dele, de modo que sua barba foi arrancada, e a pele do queixo foi arrancada também. Então o *troll* fugiu, deixando a barba para trás, presa no tronco.

À noite, os outros dois voltaram para casa e tiveram uma boa refeição. Sem Pai contou a eles o que havia feito com o *troll*. Os irmãos pensaram que seria melhor procurar pelo *troll*, pois provavelmente ele possuiria grandes riquezas e já devia estar morto àquela hora.

Eles seguiram a trilha de sangue que os levou até um buraco. Os dois irmãos não se atreveram a descer, mas Sem Pai desceu com a ajuda de uma corda. Estava escuro lá embaixo, e ele teve de procurar por um bom tempo. Então ele se deparou com uma pessoa em um canto: era uma princesa que, muito tempo antes, havia desaparecido do palácio do rei. Por fim, em outro canto, o jovem encontrou o *troll*, que, ao ver o rapaz, implorou por sua vida. O rapaz respondeu que, para isso, o *troll* deveria lhe dar a princesa e uma arca cheia de ouro.

O caçula amarrou a princesa na corda, gritou para os dois no topo e pediu que eles a puxassem para cima. Em seguida, pegou o baú e amarrou-o ao final da corda também, e os irmãos puxaram novamente. Depois o rapaz gritou e mandou que abaixassem a corda novamente para que ele pudesse subir, mas os dois irmãos disseram que não: agora eles estavam muito bem, e o irmão que ficasse lá embaixo.

Sem Pai ficou muito triste, pois não sabia como sair. Então teve uma ideia: ele se lembrou do *troll*, foi até ele e disse que iria matá-lo imediatamente. O *troll* implorou para que ele não fizesse isso e prometeu lhe dar o que ele pedisse. O garoto respondeu que, se ele o tirasse daquele buraco, pouparia sua vida. O *troll* começou a subir, cravando suas garras nas paredes e fazendo o garoto segurá-lo. Então ele saiu, e o *troll* caiu novamente.

Sem Pai voltou para sua casa imediatamente. Os dois irmãos já haviam ido à cidade para mostrar a princesa ao rei, ao qual disseram tê-la encontrado no covil dos *trolls*. O rei ficou encantado e disse que um deles poderia tê-la como esposa, mas ela chorou e disse que não. Sem Pai entrou logo depois, foi direto até o rei e se queixou de como havia sido tratado pelos irmãos.

A princesa contou tudo ao pai e disse que havia sido Sem Pai quem a salvara. Ao saber disso, o rei colocou os outros dois na prisão. Sem Pai recuperou seu baú de ouro e casou-se com a princesa. E, quando o velho rei morreu, ele se tornou o rei daquelas terras.

O CASTELO SORIA MORIA

Era uma vez um casal muito pobre que tinha um filho único chamado Halvor. Desde menino, Halvor nunca gostou de trabalhar e passava os dias remexendo nas cinzas da lareira. Os pais tentaram fazê-lo aprender vários ofícios, mas nada funcionava, pois Halvor não parava em lugar algum. Depois de dois ou três dias estudando, o menino sempre acabava fugindo de seu mestre, corria para casa e sentava-se novamente no canto da chaminé para ficar remexendo nas cinzas.

Um dia, um mestre marinheiro apareceu e perguntou se Halvor não gostaria de navegar com ele pelos mares e conhecer terras estrangeiras. Como Halvor gostava de tudo isso, não demorou muito para se decidir e arrumar suas coisas.

Não sei dizer por quanto tempo eles navegaram, mas, em certo momento, o navio enfrentou uma terrível tempestade, e, quando ela passou e tudo se acalmou novamente, eles já não sabiam onde estavam, pois haviam sido levados para um lugar estranho perto de uma enseada que nenhum dos dois reconhecia.

Como não havia vento, eles ficaram ancorados ali por algum tempo. Então Halvor pediu permissão ao capitão para desembarcar e explorar o lugar, pois ele preferia fazer isso a ficar lá e dormir.

— Você acha que está apto a aparecer diante das pessoas? — perguntou o mestre marinheiro. — Porque você não tem roupas, a não ser esses trapos!

Halvor insistiu e conseguiu a permissão, prometendo que voltaria imediatamente se o vento começasse a soprar novamente.

Então ele foi até a praia e encontrou uma terra encantadora. Para onde quer que olhasse, havia vastas planícies com campos e prados. No entanto, ele não encontrou pessoa alguma. O vento começou a soprar novamente, mas Halvor decidiu que ainda não tinha visto o suficiente e que gostaria de ir um pouco mais adiante para tentar encontrar alguém. Depois de algum tempo, ele chegou a uma grande estrada, tão suave e uniforme que se poderia facilmente rolar um ovo ao longo dela sem quebrá-lo. Halvor seguiu por essa estrada e, quando a noite já se aproximava, viu um grande castelo ao longe, iluminado pelos últimos raios de sol. Como caminhara o dia inteiro e não havia trazido algo para comer, estava com muita fome. No entanto, quanto mais se aproximava do castelo, mais assustado Halvor ficava.

No castelo havia uma grande lareira acesa, e Halvor entrou na cozinha, que era mais magnífica do que qualquer cozinha que ele já havia visto. Os utensílios da cozinha eram todos de ouro e prata, mas não havia nenhum ser humano para ser visto. Halvor ficou ali por algum tempo e ninguém apareceu; então, ele abriu uma porta e viu uma princesa, que estava sentada ao lado de um tear.

— Ah, não! — ela exclamou. — Uma alma cristã aqui? O melhor que você pode fazer é ir embora logo, se não quiser que o *troll* o devore. Aqui mora um *troll* com três cabeças!

— Ainda que ele tivesse quatro cabeças, eu adoraria vê-lo — disse o jovem —, e não irei embora, porque não fiz mal algum. Mas dê-me algo para comer, pois estou com muita fome.

Depois que Halvor comeu o suficiente, a princesa pediu a ele que tentasse brandir a espada que estava pendurada na parede, mas ele não conseguiu sequer levantá-la.

— Bem, então, você deve tomar um gole daquela garrafa que está pendurada ao lado dela, pois é isso que o *troll* faz quando quer usar a espada — disse a princesa.

Halvor tomou um gole e, no instante seguinte, foi capaz de segurar a espada e brandi-la como se fosse de papel. O menino pensou que o *troll* poderia aparecer a qualquer instante e, naquele exato momento, ele apareceu ofegante.

Halvor se escondeu atrás da porta.

— Hutetu! — disse o *troll* enquanto colocava a cabeça na porta. — Sinto o cheiro de homem cristão aqui!

— Sim, você está certo! — disse Halvor, e cortou todas as cabeças do *troll*.

A princesa ficou tão feliz por estar livre que dançou e cantou, mas depois lembrou-se das irmãs e disse:

— Ah, se minhas irmãs pudessem ser libertadas também!

— Onde elas estão? — perguntou Halvor.

A princesa revelou o paradeiro delas. Uma delas havia sido levada por um *troll* para um castelo que ficava a dez quilômetros dali, e a outra, para outro castelo, que ficava a quinze quilômetros de distância do outro.

— Mas, agora — disse a princesa —, você deve primeiro me ajudar a tirar esse cadáver daqui.

Halvor era muito forte e limpou e arrumou tudo rapidamente. Então eles comeram, beberam e ficaram felizes. Na manhã seguinte, Halvor partiu logo ao amanhecer. Ele não descansou nem por um instante. Ao avistar o primeiro castelo, Halvor sentiu novamente um pouco de medo. O castelo era ainda mais esplêndido que o outro, mas lá também não havia nenhum ser humano a ser visto. Halvor entrou pela cozinha e começou a explorar.

— Não! Como é possível que um cristão ouse vir aqui? — gritou a segunda princesa. — Não sei quanto tempo faz que estou aqui, mas, durante todo esse tempo, nunca vi uma alma cristã! É melhor você partir imediatamente, pois aqui mora um *troll* de seis cabeças.

— Não, não vou — disse Halvor. — Mesmo que ele tivesse mais seis cabeças, eu não teria medo.

— Ele vai agarrá-lo e o engolir vivo! — disse a princesa.

No entanto, isso não fez diferença, pois Halvor não iria embora. Ele não tinha medo do *troll*, mas queria comer e beber, pois estava com fome e sede depois de sua longa jornada. Então ela lhe deu de comer e depois, mais uma vez, tentou fazê-lo ir embora.

— Não — disse Halvor —, não irei, pois não fiz nada de errado e não tenho motivos para ter medo.

— Ele não vai querer saber disso — disse a princesa. Ele vai devorá-lo sem pedir licença. Mas, já que você se recusa a ir embora, veja se consegue brandir a espada que o *troll* usa para lutar.

Ele não conseguiu pegar a espada, mas então a princesa pediu que ele tomasse um gole do frasco que estava pendurado ao lado dela. Depois de fazer isso, ele conseguiu empunhar a espada.

Logo depois, o *troll* chegou, e ele era tão grande e robusto que precisou se mover de lado para passar pela porta. Quando enfiou a primeira cabeça, o *troll* gritou:

— Hutetu! Sinto o cheiro de homem cristão aqui!

Naquele exato momento, Halvor cortou a primeira cabeça, e assim por diante com todas as outras. A princesa estava agora extremamente satisfeita, mas depois se lembrou de suas irmãs e desejou que elas também pudessem ser libertadas.

Halvor achou que poderia ajudar e quis partir imediatamente, mas primeiro ele precisou ajudar a princesa a tirar o *troll* morto do caminho.

Na manhã seguinte, ele partiu. Era um longo caminho até o castelo, então ele se apressou e correu para chegar lá a tempo. No final da noite, ele avistou o castelo, ainda mais magnífico do que os outros dois. Desta vez ele quase não sentiu medo: foi para a cozinha e depois entrou no castelo. Ali estava sentada uma princesa, tão linda como ele nunca havia visto ninguém. Ela também disse o que as outras disseram, que nenhum cristão jamais estivera lá desde que ela chegara, e pediu que ele fosse embora, caso contrário o *troll* o engoliria vivo, pois tinha nove cabeças.

— Sim, e mesmo se ele tivesse nove e mais nove ainda, eu não iria embora – disse Halvor, e ficou parado perto do fogão.

A princesa implorou sinceramente para que ele fosse embora, pois assim o *troll* não o devoraria, mas Halvor disse:

— Deixe que ele venha.

Então ela lhe deu a espada do *troll* e disse a ele para beber do frasco para que conseguisse segurá-la.

Nesse mesmo momento, o *troll* chegou, rugindo pavorosamente. Ele era muito maior e mais robusto que os outros dois, e também foi forçado a passar de lado pela porta.

— Hutetu! Sinto o cheiro de homem cristão aqui!

Então Halvor cortou a primeira cabeça e depois as outras. Mas a última agarrava-se à vida com mais força e deu muito trabalho a Halvor, embora ele se sentisse muito forte.

Então todas as princesas chegaram ao castelo e estavam juntas novamente, e estavam mais felizes do que jamais estiveram em suas vidas. As três estavam apaixonadas por Halvor, e ele por elas. Ele deveria escolher, contudo, a que mais amava. Das três irmãs, a mais nova era a que o amava mais.

Mas, de repente, Halvor ficou tão triste e silencioso que as princesas perguntaram o que ele desejava e se ele não gostava de estar com elas. Ele respondeu que gostava muito de estar com elas, pois tinham o suficiente para viver e ele se sentia muito confortável ali, mas ele sentia saudade de casa, pois seu pai e sua mãe ainda estavam vivos e ele desejava vê-los novamente. As princesas disseram que isso poderia ser facilmente resolvido.

— Você pode ir e voltar em perfeita segurança se seguir nossos conselhos — disseram as princesas.

Então ele disse que não faria nada que elas não desejassem.

Então, elas vestiram Halvor com roupas tão bonitas quanto as do filho de um rei e colocaram um anel em seu dedo. Era um anel que permitia a quem o usasse ir e voltar, de acordo com seu desejo. As princesas disseram que ele não deveria jogá-lo fora e não deveria contar a ninguém sobre elas, pois, se o fizesse, todo o seu poder desapareceria e ele nunca mais as veria.

— Eu gostaria de estar em casa! — disse Halvor, e no mesmo instante seu desejo se realizou.

Antes que pudesse perceber, Halvor se encontrava do lado de fora da cabana do pai e da mãe. Estava anoitecendo, e, quando o pai e a mãe viram um estranho tão bonito e bem vestido entrar, ficaram tão envergonhados que começaram a se curvar e fazer reverências.

Halvor então perguntou se poderia passar a noite lá. Os pais disseram que não, que não poderiam oferecer nenhum tipo de acomodação que fosse digna de um cavalheiro tão distinto. Seria melhor se o nobre cavalheiro fosse para o castelo, cuja chaminé ele podia ver de lá, onde estariam preparados para recebê-lo como ele merecia. Os velhos insistiram e disseram que ele deveria ir ao castelo, onde poderia comer carne e beber, enquanto eles próprios não tinham sequer uma cadeira para lhe oferecer.

— Não, eu não irei até amanhã de manhã — disse Halvor, absolutamente determinado a ficar onde estava. Deixem-me ficar aqui esta noite. Ficarei contente em me sentar ao lado da lareira.

Como os velhos não puderam fazer objeção a isso, Halvor sentou-se ao lado da lareira e começou a remexer nas cinzas, como costumava fazer, quando morava lá.

Eles conversaram muito sobre vários assuntos, e finalmente Halvor perguntou se eles não tinham filhos.

Eles disseram que sim, que tiveram um menino chamado Halvor, mas não sabiam para onde ele havia ido e nem mesmo se ele estava vivo ou morto.

— Eu poderia ser esse menino? — perguntou Halvor.

— Não, tenho certeza que não. Eu o reconheceria — disse a velha. — Nosso Halvor era tão preguiçoso que nunca quis fazer nada. Além disso, ele estava tão esfarrapado que um buraco se juntava ao outro por toda a roupa. Ele nunca poderia ter se tornado um cavalheiro tão bonito como você, senhor.

Pouco tempo depois, a velha precisou ir até a lareira para acender o fogo. Quando a luz do fogo iluminou o rosto de Halvor, que mexia nas cinzas como costumava fazer, ela reconheceu o filho.

— Bons céus! Será que é mesmo você, Halvor? — gritou a velha, e os velhos pais foram tomados por uma felicidade que não há palavras para descrever.

Halvor contou tudo que havia acontecido com ele, e a mãe ficou tão satisfeita que quis levá-lo ao castelo imediatamente para mostrar o filho às meninas, que sempre foram muito orgulhosas e antes o desprezavam e torciam o nariz para ele. Ela foi na frente e Halvor a seguiu. Quando chegaram ao castelo, a velha contou a todos que Halvor havia voltado para casa e que elas precisavam ver como ele estava bonito como um príncipe.

— Podemos imaginar – disseram as meninas, balançando as cabeças. — Ele provavelmente é exatamente o mesmo sujeito esfarrapado que costumava ser.

Naquele momento, Halvor entrou, e as meninas ficaram tão envergonhadas que saíram apressadas da casa sem nem mesmo pegarem suas capas. Quando voltaram, estavam tão encabuladas que mal ousaram olhar para Halvor, a quem sempre haviam tratado com desdém e desprezo.

— Vocês sempre agiram como se fossem tão bonitas e finas que ninguém nesse mundo poderia se comparar a vocês. Mas deveriam ver a princesa mais velha, a quem libertei. Comparadas a ela, vocês mais parecem camponesas. A segunda princesa é ainda mais bonita, mas a mais nova, que é meu amor, é mais bonita que o Sol ou a Lua. Como queria que elas estivessem aqui para que vocês pudessem vê-las — disse Halvor.

Assim que terminou de dizer isso, as princesas apareceram ao seu lado. E então ele ficou muito triste, pois agora se lembrava do que elas lhe haviam dito.

No castelo, um grande banquete foi preparado em homenagem às princesas. Mas, apesar de todas as honras preparadas, elas não quiseram ficar.

— Queremos ir para a casa dos seus pais — disseram elas a Halvor —, e depois queremos sair e conhecer as redondezas.

Ele foi com elas, e chegaram a um grande lago atrás do castelo. Perto dele, havia uma bela colina verde, e ali as princesas decidiram sentar e descansar um pouco, pois achavam agradável sentar e olhar para a água.

Lá eles se sentaram e, depois de algum tempo, a princesa mais nova disse:

— Deixe-me acariciar seu cabelo um pouco, Halvor.

Halvor deitou a cabeça no colo dela, e ela o acariciou até ele adormecer. Então ela retirou o anel do dedo dele e colocou outro em seu lugar, dizendo às irmãs:

— Segurem-se todas em mim. Eu gostaria que estivéssemos no castelo Soria Moria!

Quando Halvor acordou, soube que havia perdido as princesas e começou a chorar e a se lamentar. Ficou tão infeliz e desesperado que ninguém foi capaz de confortá-lo. E, por mais que seus pais suplicassem, ele não quis ficar e se despediu, dizendo que talvez nunca mais voltasse a vê-los, pois, se não encontrasse suas princesas novamente, não valeria a pena continuar vivendo.

Ele colocou no bolso o pouco dinheiro que ainda tinha e partiu. Depois de caminhar um bom tempo, encontrou um homem com um cavalo bonito. Halvor decidiu comprá-lo e começou a negociar com o homem.

— Bem, eu não pretendia vendê-lo — disse o homem —, mas talvez possamos chegar a um acordo.

Halvor perguntou quanto ele queria pelo animal.

— Não paguei muito por ele, e ele não vale muito. É um bom cavalo de montaria, mas não serve para tração. Contudo, ele pode carregar você e sua bolsa sem dificuldade se você andar um pouco de vez em quando.

Por fim, eles entraram em acordo quanto ao preço, e Halvor colocou sua sacola sobre o cavalo. Às vezes ele caminhava, e outras vezes cavalgava. Ao entardecer, Halvor chegou a uma colina verde onde havia uma grande árvore, sob a qual ele se sentou. Então ele soltou o cavalo e deitou-se para dormir, mas, antes disso, tirou a mochila do cavalo. Ao amanhecer, partiu novamente, pois parecia que não havia lugar no mundo em que ele pudesse descansar. Ele caminhou e cavalgou o dia inteiro em meio a uma grande floresta, na qual havia muitas clareiras verdes que brilhavam muito alegremente entre as árvores. Ele não sabia onde estava ou para onde estava indo, mas nunca se demorava mais do que o suficiente para que o cavalo se alimentasse em uma das clareiras, enquanto ele próprio se alimentava das provisões de sua bolsa.

Parecia-lhe que a floresta nunca chegaria ao fim, mas, ao anoitecer do segundo dia, ele viu uma luz brilhar entre as árvores.

— Se as pessoas ainda estiverem acordadas, eu poderia me aquecer um pouco e conseguir algo para comer — pensou Halvor.

Quando chegou ao local de onde vinha a luz, encontrou uma cabana miserável e, através de uma pequena janela, viu um casal de velhos sentados lá dentro, grisalhos como pombos, e a velha tinha um nariz tão comprido que o usava para atiçar o fogo.

— Boa noite, boa noite! — disse a velha. — O que o traz aqui? Nenhuma alma cristã aparece por aqui há mais de cem anos!

Halvor disse a ela que procurava o castelo Soria Moria e perguntou se ela sabia o caminho.

— Não, mas a Lua em breve estará aqui, e eu perguntarei a ela. Ela saberá. Ela pode ver tudo, pois brilha sobre todas as coisas — disse a velha.

Quando a Lua apareceu, clara e brilhante acima das copas das árvores, a velha saiu da casa.

— Lua! Lua! — ela gritou. — Você pode me dizer o caminho para o castelo Soria Moria?

— Não, não posso, pois, quando eu estava brilhando lá, havia uma nuvem no meu caminho — disse a Lua.

— Espere mais um pouco — disse a velha a Halvor —, pois o Vento Oeste logo estará aqui, e ele saberá, pois respira e sopra em todos os cantos.

— Ah! Você tem um cavalo também? Bem, não deixe a criatura aí parada, morrendo de fome à nossa porta. Solte-o em nosso pedaço de pasto cercado. Ou você quer fazer uma troca comigo? Temos aqui um par de botas velhas com as quais você pode percorrer quinze milhas a cada passo. Posso dá-las a você em troca do cavalo, e você poderá chegar mais rapidamente ao castelo Soria Moria.

Halvor aceitou imediatamente, e a velha ficou tão encantada com o cavalo que quase começou a dançar.

— Porque agora eu também poderei ir à igreja — disse ela.

Halvor estava inquieto e queria partir imediatamente, mas a velha disse que não havia necessidade de se apressar.

— Deite-se no banco ao lado do fogão, pois não temos cama para lhe oferecer, e durma um pouco. Eu ficarei de olho na chegada do vento oeste.

Logo chegou o vento oeste, rugindo tão alto que as paredes estalaram.

A velha saiu e gritou:

— Vento Oeste! Vento Oeste! Você pode me dizer o caminho para o castelo Soria Moria? Há um sujeito aqui que quer ir para lá.

— Sim, conheço bem — disse o Vento Oeste. — Estou a caminho de lá, pois secarei as roupas de um casamento que será realizado em breve. Se ele for veloz, pode ir comigo.

Halvor correu para fora da casa.

— Você terá de se apressar se quiser ir comigo — disse o Vento Oeste, e imediatamente disparou pelas colinas e vales, terra e mar, de modo que Halvor mal conseguia acompanhá-lo.

— Bem, agora não tenho mais tempo de fazer companhia a você — disse o Vento Oeste —, pois primeiro devo derrubar um trecho de floresta de pinheiros, antes de ir ao local onde vou secar as roupas. Mas, se você continuar caminhando pelas colinas, encontrará algumas garotas que estão ali lavando roupas e não estará muito longe do castelo Soria Moria.

Pouco depois, Halvor encontrou as meninas que lavavam roupas, e elas perguntaram se ele tinha notícias do Vento Oeste, que deveria estar lá para secar as roupas do casamento.

— Sim, ele está derrubando um trecho de pinheiros na floresta, mas logo estará aqui — disse Halvor.

E então ele perguntou se elas sabiam o caminho para o Castelo Soria Moria. Elas o colocaram no caminho certo e, ao chegar lá, ele notou que o castelo estava bastante animado, cheio de cavalos e pessoas. Mas Halvor estava tão maltrapilho, porque seguira o Vento Oeste em meio aos arbustos e rochas, que permaneceu afastado e só se aproximou da multidão no último dia, quando um banquete foi realizado ao meio-dia.

Então todo o povo, como era o costume, teve de brindar em homenagem à noiva e ao noivo. Os copeiros que estavam presentes foram enchendo as taças de todos, cavaleiros e servos, até chegar a vez de Halvor. Ele bebeu à saúde deles e, em seguida, colocou no copo o anel que a princesa pusera em seu dedo quando estavam sentados à beira do lago e pediu que o copeiro levasse o copo para a noiva e a cumprimentasse.

A princesa imediatamente se levantou da mesa e disse:

— Quem é mais digno de ter uma de nós: aquele que nos libertou dos *trolls* ou aquele que está sentado aqui como noivo?

A resposta foi unânime e, ao ouvi-la, Halvor não demorou a atirar longe seus trapos de mendigo e a vestir-se de noivo.

— Sim, ele é a pessoa certa! — exclamou a princesa mais nova quando o viu.

Então ela expulsou o outro e casou-se com Halvor, e foram felizes para sempre.

OS SETE POTROS

Era uma vez um casal muito pobre que vivia em uma cabana miserável em uma floresta, longe de todas as pessoas. Eles mal conseguiam ganhar para comer. O casal tinha três filhos, e o mais novo deles chamava-se Cinderlad, pois não fazia mais nada além de mentir e remexer nas cinzas.

Um dia, o filho mais velho disse que sairia para ganhar a vida; o rapaz logo teve permissão para fazer isso e partiu para conseguir serviço. Ele caminhou o dia todo e, quando a noite já começava a cair, chegou a um palácio real. O rei estava parado nos degraus e perguntou para onde ele estava indo.

— Estou procurando um serviço — disse o jovem.

— Queres me servir e cuidar dos meus sete potros? — perguntou o rei. — Se você puder cuidar deles por um dia inteiro e me disser à noite o que eles comem e bebem, você terá a princesa e metade do meu reino. Mas, se não puder, deixarei três marcas vermelhas nas suas costas.

O jovem pensou que seria um trabalho muito fácil cuidar dos potros e que ele conseguiria fazê-lo muito bem.

Na manhã seguinte, quando o dia estava começando a amanhecer, o mestre do estábulo soltou os sete potros. Eles saíram correndo, e o jovem atrás deles, atravessando colinas e vales, bosques e pântanos. Depois de correr assim por um longo tempo, o jovem começou a se cansar e, depois de correr um pouco mais, estava completamente exausto. Naquele mesmo momento, ele chegou a uma fenda em uma montanha, onde uma velha estava sentada fiando com uma roca na mão.

Assim que avistou o jovem, que estava correndo atrás dos potros até o suor escorrer pelo rosto dele, ela disse:

— Venha aqui, venha aqui, meu filho querido, e deixe-me pentear seus cabelos para você.

O rapaz gostou da ideia, então se sentou na fenda da montanha ao lado da velha bruxa e apoiou a cabeça no colo dela. Ela penteou os cabelos dele o dia inteiro enquanto ele permaneceu deitado e se entregou à ociosidade.

Quando a noite já se aproximava, o jovem quis partir.

— É melhor eu ir direto para casa novamente — disse ele —, pois seria inútil ir ao palácio do rei.

— Espere até o anoitecer — disse a velha bruxa. — Os potros do rei passarão por este lugar novamente, e você poderá correr para casa com eles; nunca alguém saberá que você ficou deitado o dia inteiro em vez de cuidar dos potros.

Então, quando eles vieram, ela deu ao rapaz uma garrafa de água e um pouco de musgo e disse-lhe para mostrá-los ao rei e dizer que era isso que seus sete potros comiam e bebiam.

— Você cuidou bem deles o dia inteiro? — perguntou o rei, quando o rapaz apareceu diante dele à noite.

— Sim, com certeza! — disse o jovem.

— Então você pode me dizer o que meus sete potros comem e bebem? — perguntou o rei.

Então o jovem mostrou a garrafa de água e o pouco de musgo que havia recebido da velha, e disse:

— Aqui está a comida deles, e aqui a bebida.

Então o rei soube como ele havia cuidado dos potros e ficou tão furioso que ordenou que seu povo perseguisse o jovem até sua casa imediatamente, mas primeiro eles deveriam cortar três listras vermelhas em suas costas e esfregar sal nelas.

Quando o jovem chegou em casa, qualquer um pode imaginar em que estado de espírito ele estava. Ele havia saído uma vez para procurar serviço e, segundo ele, nunca mais faria isso novamente.

No dia seguinte, o segundo filho disse que sairia pelo mundo em busca de fortuna. Seu pai e sua mãe não autorizaram e pediram que ele olhasse para as costas do irmão, mas o jovem não desistiu de seu projeto. Depois de algum tempo e alguma insistência, ele teve permissão para ir. Depois de andar o dia todo, ele também chegou ao palácio do rei. E lá estava o rei, parado nos degraus. Ao ver o rapaz, perguntou para onde estava indo. Quando o jovem respondeu que estava procurando serviço, o rei disse que ele poderia servi-lo e cuidar de seus sete potros. Então o rei prometeu o mesmo castigo e a mesma recompensa que havia prometido ao irmão.

O jovem imediatamente concordou e se colocou a serviço do rei, pois pensou que poderia facilmente cuidar dos potros e informar ao rei o que eles comiam e bebiam.

Na luz cinzenta do amanhecer, o mestre do estábulo soltou os sete potros, e lá foram eles novamente galopando sobre a colina e o vale. O rapaz atrás deles. Mas tudo aconteceu como havia acontecido com seu irmão. Depois de correr atrás dos potros por muito, muito tempo e estar suado e cansado, passou por uma fenda na montanha onde uma velha estava sentada fiando com uma roca, e ela o chamou:

— Venha aqui, venha aqui, meu lindo filho, e deixe-me pentear seu cabelo.

O jovem gostou da ideia, deixou os potros correr para onde quisessem e sentou-se na fenda da montanha ao lado da velha bruxa. Lá ele passou o dia, com a cabeça no colo dela, relaxando o dia inteiro.

Quando os potros voltaram ao anoitecer, ele também recebeu um pouco de musgo e uma garrafa de água da velha bruxa, coisas que ele deveria mostrar ao rei.

O rei perguntou ao jovem:

— Você pode me dizer o que meus sete potros comem e bebem?

O jovem lhe mostrou o pouco de musgo e a garrafa de água e disse:

— Sim, aqui está a comida deles, e aqui a bebida.

Mais uma vez o rei ficou irado e ordenou que cortassem três listras vermelhas nas costas do rapaz, que espalhassem sal sobre elas e que o perseguissem de volta à casa dele. Quando o jovem chegou em casa, ele também relatou tudo o que havia acontecido com ele e disse que havia saído em busca de um emprego uma vez, mas que nunca mais faria isso.

No terceiro dia, Cinderlad quis partir. Ele disse que também queria tentar cuidar dos sete potros.

Os outros dois riram e zombaram dele:

— Do jeito que as coisas aconteceram conosco, você acha que vai ter sucesso? Parece provável, você que nunca fez nada além de mentir e fuçar entre as cinzas!

— Sim, eu também irei — disse Cinderlad — porque já resolvi isso na minha cabeça.

Os dois irmãos riram dele, e seu pai e mãe imploraram para que ele não fosse. Mas de nada adiantou, e Cinderlad partiu. Então, depois de andar o dia todo, ele também chegou ao palácio do rei quando a noite já começava a cair.

Lá estava o rei do lado de fora nos degraus, e ele perguntou para onde o rapaz estava indo.

— Estou andando em busca de serviço — disse Cinderlad.

— De onde você vem, então? — perguntou o rei, pois a essa altura ele queria saber um pouco mais sobre os homens antes de colocar algum deles a seu serviço.

Então Cinderlad disse a ele de onde veio, contou que era irmão dos dois que haviam cuidado dos sete potros do rei e depois perguntou se poderia tentar cuidar deles no dia seguinte.

— Céus, que vergonha! — disse o rei, porque o enfureceu pensar neles. — Se você é irmão desses dois, também não vale muita coisa. Já estou farto desses tipos!

— Bem, mas, como já vim até aqui, você poderia me deixar fazer uma tentativa — disse Cinderlad.

— Bom, muito bem, se você está assim determinado a ter suas costas esfoladas, pode fazer sua tentativa se quiser — disse o rei.

— Prefiro ter a princesa — disse Cinderlad.

Na manhã seguinte, na luz cinzenta do amanhecer, o mestre do estábulo soltou os sete potros novamente, e eles partiram sobre colinas e vales, atravessaram bosques e pântanos, e Cinderlad foi atrás deles. Depois de correr assim por um longo tempo, ele também chegou à fenda na montanha. Lá, a velha bruxa estava mais uma vez sentada fiando em sua roca e gritou para Cinderlad:

— Venha aqui, venha aqui, meu lindo filho, e deixe-me pentear seu cabelo.

— Venha me pegar, então; venha me pegar! — disse Cinderlad, ao passar pulando, correndo e segurando firmemente a cauda de um dos potros.

Quando ele passou com segurança pela fenda na montanha, o potro mais jovem disse:

— Sente-se nas minhas costas, pois ainda temos um longo caminho a percorrer.

Então o rapaz fez isso, e assim eles seguiram adiante por um longo caminho.

— Você vê alguma coisa? — perguntou o potro.

— Não — disse Cinderlad.

Então eles viajaram um pouco mais adiante.

— Você vê alguma coisa agora? — perguntou o potro.

— Ainda não — disse o rapaz.

Depois de viajarem por uma longa distância, o potro perguntou novamente:

— Você vê alguma coisa agora?

— Sim, agora vejo algo branco — disse Cinderlad. — Parece o tronco de uma grande e espessa bétula.

— Sim, é onde vamos entrar — disse o potro.

Quando chegaram ao tronco, o potro mais velho colocou-o para o lado, e então eles viram uma porta onde o tronco estava antes; lá dentro havia uma pequena sala, e na sala quase nada havia além de uma pequena lareira e alguns bancos, mas atrás da porta pendia uma grande espada enferrujada e uma pequena jarra.

— Você pode empunhar essa espada? — perguntou o potro.

Cinderlad tentou, mas não conseguiu; então ele teve de tomar um gole do jarro, e depois mais um, e depois disso ainda outro, e finalmente ele foi capaz de empunhar a espada com facilidade.

— Bom! — disse o potro. — E agora você deve levar a espada consigo, e com ela cortará a cabeça de todos nós no dia do casamento, e então nos tornaremos príncipes novamente, como antes. Pois somos irmãos da princesa que você vai receber quando puder dizer ao rei o que comemos e bebemos. Um poderoso *troll* lançou esse feitiço sobre nós. Quando você cortar nossas cabeças, deverá tomar o máximo cuidado de colocar cada cabeça na cauda do corpo ao qual pertencia antes e, em seguida, o feitiço que o *troll* lançou sobre nós perderá todo o poder.

Cinderlad prometeu fazer isso, e então eles seguiram adiante. Quando eles já haviam percorrido um longo caminho, o potro disse:

— Você vê alguma coisa? — perguntou o potro.

— Não — respondeu Cinderlad.

Então eles percorreram mais uma grande distância.

— E agora? — perguntou o potro. — Não vê nada ainda?

— Ainda não — respondeu Cinderlad.

Então eles seguiram em frente novamente, por muitos e muitos quilômetros, por colinas e vales.

— Agora, então — disse o potro —, você não vê nada agora?

— Sim! — disse Cinderlad. — Agora vejo algo como uma faixa azulada, muito, muito longe.

— É um rio — disse o potro —, e temos de atravessá-lo.

Havia uma ponte comprida e bonita sobre o rio e, quando chegaram ao outro lado, viajaram novamente por um longo caminho, e mais uma vez o potro perguntou se Cinderlad via alguma coisa. Sim, desta vez ele via algo escuro, muito, muito longe, como se fosse uma torre de igreja.

— Sim — disse o potro —, entraremos lá.

Quando os potros entraram no cemitério da igreja, tornaram-se homens e pareciam filhos de um rei, e suas roupas eram tão magníficas que brilhavam com esplendor. Eles entraram na igreja e receberam pão e vinho do padre, que estava em pé diante do altar. Cinderlad também entrou. Quando o padre pôs as mãos nos príncipes e os abençoou, eles saíram da igreja novamente, e Cinderlad também saiu, mas levou consigo uma garrafa de vinho e um pouco de pão consagrado. Assim que os sete príncipes saíram para o cemitério da igreja, transformaram-se em potros novamente. Cinderlad subiu nas costas do caçula, e todos retornaram pelo caminho por onde haviam chegado, mas cavalgando muito, muito mais rápido.

Primeiro eles atravessaram a ponte, depois passaram pelo tronco da bétula, e depois pela velha bruxa, que estava sentada na fenda da montanha fiando, e passaram tão rápido que Cinderlad não conseguiu ouvir o que a velha bruxa gritava, mas ouviu o suficiente para entender que ela estava terrivelmente enfurecida.

Já estava escurecendo quando chegaram à fazenda do rei, e ele estava parado no pátio esperando por eles.

— Você cuidou bem e fielmente deles o dia inteiro? — perguntou o rei a Cinderlad.

— Fiz o meu melhor — respondeu Cinderlad.

— Então você pode me dizer o que meus sete potros comem e bebem? — perguntou o rei.

Então Cinderlad pegou o pão consagrado e a garrafa de vinho e mostrou-os ao rei.

— Aqui você pode ver a comida e a bebida deles — disse ele.

— Sim, você cuidou bem deles e com fé — disse o rei — e terá a princesa e metade do reino.

Então começaram os preparativos para o casamento, e o rei disse que ele seria tão imponente e magnífico que todos iriam ouvir falar sobre ele.

No entanto, quando se sentaram para o banquete do casamento, o noivo levantou-se e foi até o estábulo, dizendo que havia esquecido algo lá que deveria pegar. Quando chegou ao local, fez o que os potros haviam pedido e cortou a cabeça de todos os sete. Primeiro o mais velho, depois o segundo, e assim por diante, de acordo com a idade deles, e foi extremamente cuidadoso em colocar cada cabeça na cauda do potro ao qual pertencia. Quando fez isso, todos os potros se transformaram em príncipes novamente.

Quando Cinderlad voltou ao banquete de casamento com os sete príncipes, o rei ficou tão feliz que o beijou e deu um tapinha nas costas dele, e sua noiva ficou ainda mais encantada com ele do que antes.

— Metade do meu reino já é seu — disse o rei —, e a outra metade você receberá depois da minha morte, pois meus filhos podem obter países e reinos para si mesmos, agora que se tornaram príncipes novamente.

Como todos podem muito bem imaginar, houve muita alegria naquele casamento.

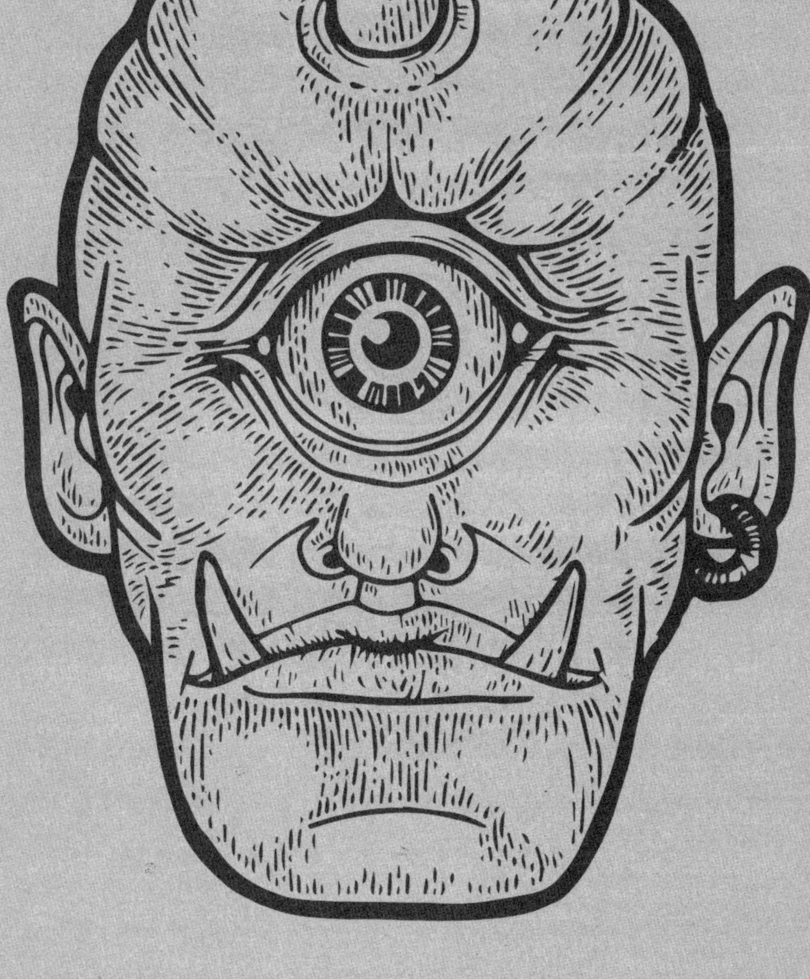

OS *TROLLS* DA FLORESTA DE HEDALE

Em um lugar em Vaage, em Gudbrandsdalen (Noruega), vivia um casal muito pobre. Eles tinham muitos filhos, e dois deles, que eram jovens, estavam sempre perambulando pelo país. Por isso, eles eram bem conhecidos por todas as estradas e também conheciam o atalho para Hedale.

Aconteceu uma vez que eles queriam ir para Hedale, mas ao mesmo tempo ouviram que alguns falcoeiros haviam construído uma cabana em Mæla, e assim decidiram matar dois coelhos com uma cajadada e ver como os pássaros eram caçados. Então, pegaram um atalho em Longmoss.

Como era outono e eles não conseguiram abrigo nem comida, continuaram caminhando em direção a Hedale. Mas o caminho era apenas uma trilha e, quando a noite caiu, eles se perderam. Pior ainda, também não conseguiram encontrar a cabana dos falcoeiros. Antes que percebessem, já estavam nas profundezas da floresta. Assim que viram onde estavam, começaram a quebrar galhos, pois tinham consigo um machado de mão, e fizeram uma fogueira. Depois disso, arrancaram urze e musgo e fizeram uma cama para eles.

Pouco tempo depois de se deitarem, ouviram algo que cheirava e fungava muito alto. Os meninos apuraram os ouvidos e ouviram atentamente para tentar descobrir se eram animais selvagens ou *trolls* da floresta, e naquele instante algo se ergueu no ar e disse:

— Sinto cheiro de sangue cristão aqui!

Ao mesmo tempo, eles ouviram passos tão fortes que faziam a terra tremer, e tiveram a certeza de que os *trolls* estavam por perto.

— Que o céu nos ajude! O que vamos fazer? — perguntou o garoto mais novo ao irmão.

— Você deve ficar em pé sob o abeto e estar pronto para pegar nossas malas e fugir quando os vir. Já eu vou pegar o machado — respondeu o outro.

De repente, eles viram os *trolls* atacá-los como loucos, e estes eram tão altos e robustos que suas cabeças tinham o tamanho dos topos das árvores. Entretanto, por sorte, eles só tinham um olho. Eles tinham um buraco na testa, no qual encaixavam o olho, e o giravam e torciam com as mãos para ajustá-lo. O primeiro dos *trolls* provavelmente estava usando o olho para ver o caminho, e os outros apenas o seguiam.

— Pegue as armadilhas — disse o mais velho dos garotos —, mas não fique muito longe e veja como as coisas vão. Como os olhos deles estão muito altos, ele não poderá me ver quando eu estiver atrás deles.

— Sim!

O irmão correu, e os *troll*s o perseguiram, enquanto o mais velho ficou atrás deles e cortou com o machado o tornozelo daquele que estava por último. O *troll* deu um grito horrível, e o *troll* líder ficou com tanto medo que estremeceu e acabou derrubando o olho. O menino se apressou para pegá-lo: era maior do que dois potes juntos e tão claro e brilhante que, embora estivesse escuro, tudo ficava claro como o dia quando se olhava através dele.

Quando os *troll*s perceberam que os garotos haviam roubado o olho do líder e machucado o terceiro *troll*, começaram a ameaçá-lo com todo o mal do mundo caso não devolvessem o olho imediatamente.

— Eu não ligo muito para *troll*s e ameaças — disse o garoto —, ainda mais que agora tenho três olhos para mim e vocês três não têm nenhum. Além disso, dois de vocês vão ter de carregar o terceiro.

— Se não devolverem nosso olho neste minuto, vocês serão transformados em pedras! — gritaram os *troll*s.

Contudo, o garoto pensou que não iria devolver tão rápido. Ele não tinha medo de bruxaria ou de palavras duras. E respondeu que, se os *troll*s não os deixassem em paz, ele machucaria todos os três, para que tivessem de rastejar pela terra.

Quando os *trolls* ouviram aquilo, ficaram ainda mais assustados e começaram a usar palavras suaves. Eles imploraram com muita doçura para que os garotos lhes devolvessem o olho e disseram que em troca eles teriam todo o ouro e prata que quisessem.

Isso tudo parecia muito bom para o rapaz, mas antes ele queria o ouro e a prata. Ele disse que, se um dos *trolls* fosse em casa buscar ouro e prata suficiente para encher a mala dele e a do irmão, devolveria o olho a eles, mas ficaria com o olho até que lhe dessem o que ele pedia.

Os *trolls* ficaram muito alterados e disseram que nenhum deles poderia ir sem ter olhos para ver. No entanto, de repente, um deles começou a gritar para sua mãe. Depois de um tempo, uma resposta veio de uma colina muito distante ao norte. Então, os *trolls* disseram que ela deveria trazer dois baldes cheios de ouro e prata, e não demorou muito para ela chegar.

Quando a *troll* soube do que havia acontecido, ela também começou a ameaçá-los com bruxaria, mas os *trolls* estavam com tanto medo que imploraram que ela tomasse cuidado com aqueles pequenos homens, pois não se podia garantir que eles também não tirariam os olhos dela.

Então ela jogou para eles as malas, o ouro e a prata, e voltou para a colina com os *trolls*. Desde então, ninguém mais ouviu falar em *trolls* que andam na floresta de Hedale caçando sangue cristão.

OS CISNES SELVAGENS

Muito longe daqui, na terra em que as andorinhas voam no inverno, viveu um rei que tinha onze filhos e uma filha chamada Elisa.

Os onze irmãos eram príncipes, e cada um deles ia para a escola com uma estrela no peito e uma espada ao lado. Eles escreviam com lápis de diamante em ardósias douradas e aprendiam suas lições tão rapidamente e liam tão facilmente que todos sabiam que eram príncipes. A irmã deles, Elisa, sentava-se em um banquinho de vidro e tinha um livro cheio de gravuras, que valiam a metade de um reino.

Eles eram muito felizes, mas isso não durou muito tempo, pois seu pai, o rei, casou-se com uma rainha que não amava as crianças e que provou ser uma bruxa má.

A rainha começou a mostrar sua crueldade logo no primeiro dia. Enquanto as grandes celebrações aconteciam no palácio, as crianças brincavam e cumprimentavam os convidados, mas a rainha, em vez de lhes dar os bolos e as maçãs que restavam do banquete, como de costume, lhes dava um pouco de areia em uma xícara de chá e falava para eles fingirem que era algo bom. Na semana seguinte, ela enviou a pequena Elisa para fora do país para morar com um homem pobre e sua esposa. Então ela contou ao rei tantas mentiras sobre os jovens príncipes que ele parou de dar atenção aos meninos.

— Vão embora e cuidem de si mesmos — disse a rainha. — Voem como grandes pássaros sem voz.

Mas ela não conseguiu fazer tão mal a eles como gostaria, pois os príncipes foram transformados em onze belos cisnes selvagens.

Com um grito estranho, eles voaram pelas janelas do palácio, sobre o parque, para a floresta mais além. Ainda era de manhã cedo quando passaram pela cabana onde a irmã dormia no quarto dela. Eles pararam sobre o telhado, torcendo os pescoços compridos e batendo as asas, mas ninguém os ouviu ou viu e, por fim, eles voaram para longe.

A pobre Elisa ficava sozinha no quarto dos camponeses brincando com uma folha verde, pois não tinha outros brinquedos. Ela fez um buraco na folha e, quando olhou através dele em direção ao sol, parecia ver os olhos claros de seus irmãos e, quando o sol quente brilhava em suas bochechas, ela pensava em todos os beijos que eles haviam lhe dado.

Os dias se passaram. Às vezes, os ventos sopravam através das folhas da roseira e sussurravam para as rosas: "Quem pode ser mais bonita e gentil que vocês?" E as rosas balançavam a cabeça e diziam: "A Elisa". E as rosas diziam a verdade.

Quando tinha quinze anos, Elisa voltou para casa, mas, por ser tão bonita, a rainha das bruxas ficou cheia de ódio por ela. De bom grado a teria transformado em um cisne como seus irmãos, mas não se atreveu a fazê-lo por medo do rei.

Certa manhã, a rainha entrou no banheiro, que era feito todo de mármore e tinha almofadas macias. Ela levou três sapos com ela e os beijou, dizendo ao primeiro: "Quando Elisa vier tomar banho, sente-se na cabeça dela, para que ela se torne tão estúpida quanto você." Ao segundo sapo, ela ordenou: "Você sente-se na testa dela, para que ela se torne tão feia quanto você e que os amigos dela não a reconheçam". E, ao terceiro sapo ela sussurrou: "Descanse no coração dela, para que ela se torne má e isso a faça infeliz".

A bruxa colocou os sapos na água clara, que imediatamente ficou verde. Em seguida, ela chamou Elisa e a ajudou a se despir e entrar no banho.

Enquanto Elisa afundava a cabeça na água, um dos sapos sentou-se em seu cabelo, o segundo na testa e o terceiro no peito. Mas ela não parecia notá-los e, quando se levantou, três papoulas vermelhas flutuavam na água. Os sapos se transformaram em flores porque descansaram na cabeça de Elisa e no coração dela. A menina era boa demais e inocente demais para que a magia tivesse algum poder sobre ela.

Quando a rainha perversa viu isso, esfregou um suco mágico no rosto de Elisa, emaranhou o cabelo bonito dela e espalhou sobre ela óleos nojentos, até que fosse impossível reconhecê-la.

O rei ficou chocado e disse que aquela não era sua filha. Ninguém, a não ser o cachorro e as andorinhas, a reconhecia, mas eles eram apenas pobres animais e nada podiam dizer. A pobre Elisa chorou e pensou em sua triste sorte e nos onze irmãos que estavam longe. Com grande tristeza, ela fugiu do palácio e caminhou o dia inteiro por campos e charnecas, até chegar à grande floresta. Ela não sabia em qual direção seguir, mas estava tão infeliz e sentia tanto a falta dos irmãos - os quais, como ela mesma, haviam sido banidos do mundo - que estava determinada a procurá-los.

Chegando a um lago, Elisa viu seu rosto refletido nas água e afastou-se assustada. Lavando-se no lago, porém, ela ficou tão limpa e bonita quanto antes.

Quando a noite chegou, Elisa deitou-se no musgo macio, fez sua oração noturna e encostou a cabeça no tronco de uma árvore. Toda a natureza estava em silêncio, e a brisa suave soprava contra sua testa.

Durante toda a noite ela sonhou com seus irmãos. Ela imaginou que todos eram crianças novamente, brincando juntos. Ela os via escrever com seus lápis de diamante em ardósias douradas, enquanto olhava para o belo livro de figuras que custara metade de um reino. Eles não estavam escrevendo linhas e cartas, como costumavam fazer, mas descrições das grandes coisas que haviam feito e de tudo o que haviam descoberto e visto. Também no livro de figuras, tudo estava vivo. Os pássaros cantavam, e as pessoas saíam do livro e falavam com Elisa e seus irmãos, mas, quando ela virava a página, tudo voltava a seu lugar.

Quando Elisa acordou, o sol já estava alto no céu. Ela não podia vê-lo, pois as árvores altas espalhavam seus galhos densos, mas sua luz brilhava aqui e ali através das folhas como uma névoa dourada. Um perfume agradável vinha das árvores verdes e da grama fresca, e os pássaros se aproximavam e quase pousavam em seus ombros. Ela ouvia a água murmurar em vários riachos, todos fluindo para um lago com areias douradas. Os arbustos cresciam densamente ao redor do lago e, em um ponto, onde uma abertura havia sido feita por um cervo, Elisa desceu até a água, que era clara e refletia como um espelho.

Ela foi até o riacho borbulhante e bebeu um pouco de água com as mãos. Depois, vagou pela floresta, sem saber para onde estava indo. Ela pensava nos irmãos, no pai e na mãe e teve a certeza de que algo de bom aconteceria. Logo encontrou uma árvore tão carregada de frutas que os galhos se dobravam com o peso. Ali, ela comeu e depois foi para a floresta.

Tudo estava tão quieto que ela podia ouvir o som de seus próprios passos, assim como o farfalhar de cada folha caída que ela esmagava sob seus pés. Não havia um pássaro a ser visto e nenhuma luz encontrava seu caminho através das árvores grossas, todas muito juntas.

A noite estava muito escura. Com grande tristeza, Elisa deitou-se para dormir. Depois de um tempo, pareceu-lhe que os galhos das árvores se separavam sobre sua cabeça.

De manhã, quando acordou, não sabia se aquilo tinha sido verdade ou se havia sonhado. Ela continuou a perambular, mas não havia ido muito longe quando encontrou uma velha que levava frutas numa cesta e que lhe deu algumas para comer. Elisa perguntou se ela não havia visto onze príncipes cavalgar pela floresta.

— Não — respondeu a velha —, mas vi ontem onze cisnes com coroas de ouro na cabeça nadando em um riacho que corre aqui perto.

Então ela levou Elisa até a margem do rio.

A jovem princesa despediu-se da velha e foi seguindo o riacho até o ponto em que ele desaguava no mar. E ali, diante de seus olhos, estava o oceano glorioso, mas ela não via nenhuma vela em sua superfície, nem mesmo um barco podia ser visto. Como ela poderia ir mais longe? Ela notou como as incontáveis pedras na praia haviam sido suavizadas e arredondadas pela água.

— A água bate sem se cansar — ela disse —, até que tudo o que é duro se torne suave, por isso nunca me cansarei de minha tarefa. Obrigada por sua lição, ondas brilhantes. Meu coração me diz que um dia me levará aos meus queridos irmãos.

Sobre as algas cobertas de espuma, havia onze penas brancas de cisne, que ela pegou e carregou com ela. Havia gotas de água sobre elas, mas, se eram gotas de orvalho ou lágrimas, ninguém poderia dizer. Era solitário à beira-mar, mas Elisa estava distraída, pois o mar sempre em movimento mostrava mais mudanças em poucas horas do que qualquer lago em um ano inteiro. Uma nuvem negra e pesada surgiu e foi como se o mar dissesse: "Também posso parecer escuro e zangado". Então o vento soprou, e as ondas se transformaram em espuma branca. Quando o vento dormia e as nuvens brilhavam com o pôr do sol vermelho, o mar parecia uma folha de rosa. Às vezes ficava verde e às vezes branco. Mas, por mais silencioso que estivesse, as ondas estavam sempre inquietas na praia e subiam e desciam como a respiração de uma criança adormecida.

Quando o sol estava prestes a se pôr, Elisa viu onze cisnes brancos com coroas douradas na cabeça voar em direção à terra, um atrás do outro, como uma longa fita branca. Ela desceu a encosta e se escondeu atrás dos arbustos. Os cisnes pousaram bem perto dela, batendo suas grandes asas brancas. Assim que o sol desapareceu sob a água, as penas dos cisnes caíram, e eles se transformaram em onze belos príncipes, que Elisa reconheceu imediatamente. Eram os seus irmãos!

A menina soltou um grito de contentamento, pulou em seus braços e os chamou pelo nome. Os príncipes ficaram muito felizes ao ver sua irmãzinha novamente, que se transformara em uma linda princesa. Todos riram e choraram e contaram um ao outro com que crueldade haviam sido tratados pela madrasta.

— Nós, irmãos — disse o mais velho —, voamos como cisnes selvagens enquanto o sol está no céu, mas, assim que ele afunda atrás das colinas, nos tornamos humanos novamente. Portanto, devemos estar sempre perto de um local de descanso antes do pôr do sol, pois, se estivéssemos voando em direção às nuvens quando recuperamos nossa forma humana, cairíamos no mar.

Somente uma vez por ano podemos voltar à nossa terra e temos apenas onze dias para ficar aqui e voar sobre a floresta. Nós não moramos aqui, mas em uma terra muito linda que fica do outro lado do oceano. Voamos dois dias para atravessar o oceano e não há ilhas no caminho onde possamos dormir à noite. Só temos um rochedo para descansar, mas é tão pequeno que quase não dá para todos nós. Se o mar estiver agitado, as ondas quebram sobre nós, mas estamos muito gratos por essa rocha. Passamos noites inteiras nela ou então nunca poderíamos voltar à nossa amada terra natal.

E ele continuou:

— Aqui podemos voar pela floresta para olhar mais uma vez o palácio onde nosso pai vive e onde nascemos e o lugar onde nossa mãe está. As próprias árvores e arbustos aqui parecem nossos parentes. Os cavalos selvagens saltam sobre as planícies como os vimos em nossa infância. Os trabalhadores cantam as músicas antigas que dançávamos quando crianças. Esta é a nossa casa, e adoramos voltar aqui e aqui encontramos você, nossa querida irmãzinha. Dois dias a mais podemos permanecer aqui, e então devemos voar para uma terra bonita que não é nossa casa. Como podemos levá-la conosco? Não temos navio nem barco.

— Como posso quebrar esse feitiço? — perguntou a irmã.

E eles conversaram sobre isso quase a noite toda, dormindo apenas algumas horas.

Elisa foi despertada pelo bater das asas dos cisnes sobre sua cabeça. Seus irmãos haviam se transformado novamente em cisnes. Eles voaram em círculos, cada vez mais largos, até estarem distantes, mas um deles, o mais novo, ficou para trás e deitou a cabeça no colo da irmã, enquanto ela acariciava suas asas. Eles permaneceram juntos o dia inteiro.

À noite, o resto voltou e, quando o sol se pôs, tornaram--se humanos novamente.

— Amanhã voaremos para longe e não voltaremos novamente até que um ano inteiro tenha se passado. Mas não podemos deixar você aqui. Você é corajosa o suficiente para ir conosco?

— Sim. Leve-me com vocês — disse Elisa.

Eles passaram a noite inteira tecendo uma rede grande e forte feita de salgueiro e junco. Elisa se deitou para dormir e, quando o sol nasceu e seus irmãos se tornaram cisnes selvagens, eles pegaram a rede com seus bicos e voaram para as nuvens com sua querida irmã, que ainda dormia. Quando os raios de sol caíram sobre o rosto dela, um dos cisnes pairou sobre sua cabeça, para que suas asas largas pudessem protegê-la.

Eles já estavam longe da terra quando Elisa acordou. Ela pensou que ainda devia estar sonhando, pois lhe parecia muito estranho ser carregada no ar sobre o mar. Ao lado dela, havia um galho cheio de lindas frutas maduras e um molho de raízes deliciosas. O irmão caçula as havia colhido e colocado ali. Ela sorriu e agradeceu, pois sabia que era o mesmo que pairava sobre ela para protegê-la com suas asas. Agora eles estavam tão alto que um grande navio embaixo deles parecia uma gaivota branca nadando nas ondas.

Durante o dia inteiro eles voaram, rápidos com uma flecha, mas, mesmo assim, mais devagar que o normal, pois tinham a irmã para carregar. Nuvens negras se formaram ao cair da tarde, e Elisa observou o sol se por com grande preocupação, pois a pequena rocha no oceano ainda não estava à vista. Pareceu-lhe que os cisnes agora batiam suas asas num último esforço. Ela teve receio de que, quando o sol se pusesse, eles se transformariam em homens, cairiam no mar e morreriam afogados. Ela fez uma oração, mas nenhuma pedra apareceu. As nuvens escuras se aproximavam, e as rajadas de vento informavam a tempestade que se aproximava.

O sol já havia chegado à beira do mar quando os cisnes começaram a descer. De repente, Elisa avistou a rocha que surgia das águas e que não parecia maior que a cabeça de uma foca. Assim que pousaram, o sol mergulhou no horizonte, e os cisnes tomaram a forma humana. Os irmãos a colocaram no centro do rochedo e ficaram ao redor, com os braços juntos, pois não havia o menor espaço de sobra. As ondas chicoteavam o rochedo, molhando-os a todo momento. O céu se iluminava com os relâmpagos, e os trovões rolavam das nuvens, mas a irmã e os irmãos permaneceram em pé segurando as mãos uns dos outros e cantando canções.

No início da madrugada, o céu estava de novo claro e calmo e, ao nascer do sol, os cisnes voaram para longe da rocha, carregando sua irmã com eles. O mar ainda estava agitado e, da altura em que estavam, a espuma branca nas ondas verde-escuras parecia milhões de cisnes nadando na água. Eles voaram por muito tempo sobre o mar, que não parecia ter fim.

Finalmente, eles chegaram ao país que procuravam, com suas montanhas azuis, suas florestas e suas cidades e palácios. Pouco antes de o sol se pôr, eles desceram em uma colina, perto de uma caverna muito grande, cujo chão estava coberto de delicadas plantas verdes, como um tapete.

— Agora vamos esperar para ver com o que você vai sonhar hoje à noite — disse o irmão mais novo, enquanto mostrava o quarto da irmã.

— Quero sonhar com um meio de libertar vocês do feitiço!

E, com esse pensamento, ela orou por ajuda e adormeceu. Pareceu-lhe que ela estava voando alto no ar em direção a um palácio e que uma fada saiu para encontrá-la, radiante e bonita, mas muito parecida com a velha que havia dado frutas para ela e contara sobre os cisnes com coroas de ouro na cabeça.

— Se você for corajosa e forte, seus irmãos podem ser desencantados — disse a fada. — A água é mais macia do que suas próprias mãos delicadas e, no entanto, ela lustra e molda pedras, mas não sente dor como seus dedos sentirão. Não tem alma e não pode sofrer a agonia e o tormento que você terá de suportar. Você vê a urtiga que seguro em minha mão? O mesmo tipo cresce ao redor da caverna em que você dorme, mas somente estas, e aquelas que crescem nos túmulos de um cemitério, serão de alguma utilidade para você. Você vai precisar juntar muitos ramos de urtiga, mesmo que queimem suas mãos. Corte-as em pedaços com as mãos e os pés e obterá o fio com que terá de tecer onze túnicas com mangas compridas. Se você jogar essas túnicas sobre os onze cisnes, o feitiço será quebrado. Mas, lembre-se bem, você vai levar muitos anos para concluir sua tarefa, e durante todo esse tempo você não deverá pronunciar uma só palavra. Se você falar alguma vez, seus irmãos morrerão imediatamente. A vida deles depende do seu silêncio. Lembre-se de tudo o que eu lhe disse.

E, quando a velha terminou de falar, tocou levemente a mão de Elisa com a urtiga, e uma dor de fogo ardente a despertou.

Perto dela, havia urtigas como as que vira em seu sonho. Ela caiu de joelhos e agradeceu. Ao pegar na planta venenosa, suas mãos delicadas encheram-se de feridas e queimaduras, mas tudo a menina sofreu radiante e resignada, na esperança de salvar os irmãos.

Ao pôr do sol, seus irmãos voltaram e ficaram muito assustados ao perceber que ela não falava. Eles acreditavam que ela estava sob o feitiço de alguma nova bruxaria, mas, quando viram as mãos dela, entenderam tudo.

O irmão mais novo chorou e, onde as lágrimas a tocaram, a dor cessou e as bolhas ardentes desapareceram. Elisa continuou trabalhando durante toda a noite, pois não podia descansar até libertar seus irmãos. Durante todo o dia seguinte, enquanto os irmãos estavam ausentes, ela ficou sozinha, mas nunca antes o tempo passou tão rápido.

Um casaco já estava acabado, e ela já começara o segundo quando ouviu o assovio de um caçador e foi tomada pelo medo. O som se aproximava cada vez mais, e ela também ouvia cachorros latir. A menina correu para a caverna, amarrou apressadamente todas as urtigas que havia colhido e sentou-se sobre elas. Pouco tempo depois, um cão enorme veio correndo em direção a ela, e depois outro e outro; eles corriam de um lado para o outro latindo furiosamente, até que em poucos minutos todos os caçadores estavam diante da caverna. O mais belo de todos era o rei daquelas terras. Quando viu a bela donzela, aproximou-se dela e disse:

— Como você veio parar aqui, linda moça?

Elisa balançou a cabeça. Ela não se atreveu a falar, pois disso dependia a vida de seus irmãos. A menina escondeu as mãos debaixo do avental, para que o rei não visse como ela estava sofrendo.

— Venha comigo — disse o rei. — Você não pode ficar aqui. Se você é tão boa quanto é bonita, eu a vestirei de seda e veludo, colocarei uma coroa de ouro em sua cabeça e você governará e fará de meu castelo a sua casa.

Então ele a levantou sobre seu cavalo.

Ela começou a chorar e torcia as mãos, mas o rei disse:

— Desejo apenas sua felicidade. Chegará um momento em que você me agradecerá por isso.

Ele galopou pelas montanhas, segurando-a na frente dele em seu cavalo, e os caçadores seguiram atrás. Quando o sol se pôs, chegaram a uma bela cidade. No castelo, o rei a levou a salões de mármore com grandes fontes e onde as paredes e os tetos eram cobertos com pinturas ricas. Mas ela não parava de chorar, pensando que não poderia mais salvar os irmãos. Pacientemente, ela permitiu que as amas a vestissem com roupas luxuosas, tecessem pérolas em seu cabelo e colocassem luvas macias sobre os dedos doloridos. Assim trajando roupas reais, ela ficou tão incrivelmente bonita que a corte se curvou em sua presença.

Então o rei disse que queria se casar com ela, mas o bispo balançou a cabeça e sussurrou que a jovem e bela donzela era apenas uma bruxa, que cegara o rei e prendera seu coração. O rei não quis ouvi-lo, no entanto, e ordenou que a música soasse, os pratos mais saborosos fossem servidos e as donzelas mais bonitas dançassem para eles.

Depois ele a conduziu por jardins cheirosos e salões altos, mas nenhum sorriso apareceu nos lábios ou brilhou nos olhos de Elisa. A menina parecia a imagem da tristeza. Então o rei abriu a porta de um quartinho onde ela deveria dormir. No chão, estava o monte de urtigas e, sob o teto, pendia o casaco que ela havia feito. Essas coisas haviam sido trazidas da caverna por um dos caçadores.

— Aqui você pode voltar a sonhar com a antiga casa da caverna — disse o rei. — Aqui está o trabalho com o qual você se mantinha ocupada. Vai divertir você agora, vivendo no esplendor do palácio, pensar naquela época.

Quando Elisa tornou a ver as coisas que tanto lhe interessavam, ela sorriu e suas bochechas ficaram vermelhas. A ideia de libertar seus irmãos a deixou tão alegre que ela beijou a mão do rei, que, apertando-a de encontro ao peito, ordenou que todos os sinos tocassem anunciando o casamento.

Pouco tempo depois, os alegres sinos da igreja anunciaram a festa do casamento. A moça bonita e muda do bosque iria tornar-se rainha. Embora não pudesse falar, pois uma única palavra custaria a vida de seus irmãos, seus olhos transmitiam todo o amor que sentia por aquele rei gentil e bonito, que fazia de tudo para fazê-la feliz. Ela o amava mais e mais a cada dia, com todo o coração. Oh! Se ela pudesse confiar nele e contar sua tristeza, mas ela não poderia falar até o trabalho terminar.

Portanto, à noite, ela se recolhia à pequena câmara, que parecia uma caverna, e rapidamente tecia um casaco após o outro. Mas, quando começou o sétimo, descobriu que havia acabado a urtiga. Ela sabia que as urtigas que ela precisava usar cresciam no cemitério da igreja e que ela própria deveria arrancá-las. Como chegaria lá?

Então, com o coração trêmulo, Elisa atravessou o jardim banhado pelo luar e seguiu pelas ruas desertas até chegar ao cemitério da igreja. Ela sentia as pernas moles de tanto medo, mas rezou em silêncio, colheu as urtigas e correu de volta para o castelo.

Contudo, o bispo a viu entrar no cemitério, pois estava acordado enquanto outros dormiam. Agora ele tinha certeza de que suas suspeitas estavam corretas: havia algo de errado com a rainha. Ele achava que ela era uma bruxa e havia enfeitiçado o rei e todo o povo. Secretamente, ele contou ao rei o que tinha visto e o que temia.

Duas lágrimas rolaram pelas bochechas do rei. Todas as noites, o rei fingia dormir, mas depois se levantava, seguia Elisa e via que ela se trancava em seu quarto e ficava tecendo até de manhã. Seus temores de que estivesse casado com uma feiticeira aumentavam dia a dia. E o rei ficava cada vez mais sombrio. Elisa percebia e, embora não entendesse o motivo, isso a alarmava e fazia seu coração temer por seus irmãos.

Enquanto isso, ela quase terminara o trabalho. Só faltava fazer uma túnica, mas as urtigas acabaram mais uma vez. Embora a horrorizasse a ideia de voltar ao cemitério e rever as bruxas, Elisa dirigiu-se para lá, seguida sem saber pelo bispo e o rei. Os dois a viram desaparecer por trás do portão do cemitério e, ao entrarem, deram também com as terríveis bruxas. O rei voltou horrorizado, achando que sua pequena rainha era uma daquelas criaturas medonhas.

— O bispo deve estar certo, ela deve ser uma bruxa. Deixem que as pessoas decidam seu castigo.

E as pessoas rapidamente decidiram que ela deveria ser queimada na fogueira.

A pobre princesa foi arrancada de seus aposentos e jogada em uma cela escura e úmida, onde o vento assobiava através das barras de ferro. Em vez dos vestidos de veludo e seda, deram-lhe as dez túnicas que ela fizera para se cobrir e o molho de urtigas como travesseiro. Mas nada poderia ter agradado tanto a menina e, dando graças a Deus, Elisa continuou sua tarefa com alegria, enquanto os meninos da rua cantavam canções de zombaria sobre ela e ninguém a confortava com uma palavra gentil.

Uma noite, ela ouviu o barulho de asas de cisne na prisão: era seu irmão mais novo. Ele encontrara sua irmã, e ela chorou de alegria, embora soubesse que provavelmente era a última noite em que viveria. Ainda assim, ela tinha esperança, pois seu trabalho estava quase terminado e seus irmãos haviam chegado.

O bispo chegou para ficar com ela durante as últimas horas, como havia prometido ao rei. Ela balançou a cabeça e implorou, por olhares e gestos, para ele não ficar, pois naquela noite sabia que devia terminar seu trabalho; caso contrário, toda a sua dor, lágrimas e noites sem dormir não teriam utilidade. O bispo se retirou, reclamando dela, mas ela sabia que era inocente e continuou seu trabalho durante a noite.

Ratinhos corriam pelo chão, arrastando as urtigas para os seus pés, para ajudar o máximo que podiam. Um pássaro, sentado do lado de fora das grades da janela, cantou para ela a noite toda, o mais docemente possível, para que ela mantivesse o ânimo.

Uma hora antes de o sol raiar, os onze irmãos apareceram no castelo pedindo permissão para falar com o rei. Disseram a eles que não seria possível, pois o rei ainda estava dormindo e não podia ser perturbado. Os jovens tanto insistiram e ameaçaram que os guardas tiveram de pedir reforços para expulsá-los dali. E o barulho foi tanto que o rei acordou e foi ver o que estava acontecendo. Nesse momento, porém, o sol nasceu, e os onze irmãos desapareceram, mas onze cisnes selvagens voaram sobre o castelo.

Mais tarde, todas as pessoas se reuniram nos portões da cidade para ver a feiticeira ser queimada. Elisa foi colocada em uma carroça puxada por um cavalo velho e manco, e ela estava vestida com trapos. Os cabelos adoráveis caíam soltos pelos ombros, as bochechas estavam pálidas, e os lábios se moviam silenciosamente enquanto os dedos ainda teciam as túnicas de linho verde. Mesmo a caminho da morte, ela não desistia de sua tarefa. As dez túnicas acabadas estavam aos seus pés, e ela estava terminando a décima primeira, enquanto a multidão zombava dela e dizia:

— Vejam como a feiticeira fala consigo mesma! Ela nem sequer reza, continua sentada fazendo seu trabalho de bruxaria. Rasguemos as roupas amaldiçoadas que ela teceu!

E, com essas palavras, avançaram para destruir as túnicas. Naquele momento, onze cisnes selvagens apareceram e cercaram a carroça. Eles bateram suas asas grandes, e a multidão recuou com medo.

— É um aviso do céu de que ela é inocente! — pensaram muitos deles, mas eles não disseram isso em voz alta.

Quando o carrasco a agarrou pela mão para tirá-la da carroça, ela rapidamente jogou as onze túnicas sobre os onze cisnes, e eles imediatamente se tornaram onze belos príncipes, mas o mais novo tinha a asa de um cisne em vez de um braço, pois ela não foi capaz de terminar a última manga do casaco.

— Agora posso falar! — ela gritou. —Eu sou inocente!

Então as pessoas, que viram o que aconteceu, curvaram-se para ela como se ela fosse uma santa, mas ela afundou inconsciente nos braços de seus irmãos, tão exausta que estava com toda a dor e preocupação.

— Sim, ela é inocente! — disse o irmão mais velho e contou a todos tudo o que havia acontecido.

Enquanto ele falava, um perfume de rosas inundou o ar. Cada pedaço de lenha da fogueira que fizeram para queimá-la criara raízes, galhos e folhas, até que se tornou um arbusto grosso, grande e alto, coberto de rosas, enquanto no topo florescia uma flor branca e brilhante que brilhava como uma estrela. Esta flor o rei colheu e colocou no peito de Elisa, e ela acordou com o coração cheio de paz e tranquilidade.

Então todos os sinos da igreja começaram a tocar, e os pássaros vieram em grandes bandos. Nunca se vira espetáculo tão bonito! O povo começou a dançar nas ruas e todos acompanharam o cortejo real de volta para o castelo.

O PODEROSO MIKKO

Era uma vez um velho lenhador e sua esposa, que tinham um filho único chamado Mikko. Quando a mãe estava em seu leito de morte, o jovem sentou-se ao lado dela e chorou amargamente.

— Quando você se for, minha querida mãe — disse ele —, não haverá mais ninguém para pensar em mim.

A pobre mulher tentou confortá-lo o melhor que pôde e disse-lhe que ele ainda teria o pai, mas, logo após a morte da mulher, o velho também ficou doente.

"Agora, de fato, ficarei desolado e sozinho", pensou Mikko, sentando-se ao lado da cama do pai e vendo-o cada vez mais fraco.

— Meu garoto — disse o velho pouco antes de morrer —, não tenho nada a deixar, a não ser as três armadilhas com as quais, durante muitos anos, peguei animais selvagens. Essas armadilhas agora pertencem a você. Quando eu morrer, entre na floresta e, se encontrar uma criatura selvagem presa em alguma delas, solte-a com cuidado e leve-a viva para casa.

Após a morte do pai, Mikko se lembrou das armadilhas e saiu para a floresta para vê-las. A primeira estava vazia e também a segunda, mas na terceira ele encontrou uma pequena raposa vermelha. Ele levantou cuidadosamente a mola que estava agarrada a um dos pés da raposa e carregou a pequena criatura para casa em seus braços. Ele compartilhou sua ceia com ela e, quando se deitou para dormir, a raposa se encolheu aos seus pés. Eles viveram juntos algum tempo e, por fim, tornarem-se amigos íntimos.

— Mikko, por que você está tão triste? — perguntou a raposa um dia.

— Porque me sinto sozinho.

— Ah! — disse a raposa. — Isso não é maneira de um jovem falar. Você deveria se casar! Então você não se sentiria sozinho!

— Casar! — repetiu Mikko. — Como posso me casar? Não posso me casar com uma garota pobre, porque eu mesmo sou muito pobre, e uma garota rica não se casaria comigo.

— Bobagem! — disse a raposa. — Você é um jovem bem criado e gentil. O que mais uma princesa poderia pedir?

Mikko riu ao pensar em uma princesa querendo-o como marido.

— Estou falando sério! — insistiu a raposa. — Pense na princesa de nosso reino. O que você acha de se casar com ela?

Mikko riu mais alto do que antes.

— Ouvi dizer que ela é a princesa mais bonita do mundo! Qualquer homem ficaria feliz em se casar com ela.

— Muito bem — disse a raposa. — Se você tiver sentimentos verdadeiros por ela, eu organizarei o casamento para você.

Com isso, a pequena raposa partiu para o castelo real e pediu uma audiência com o rei.

— Meu mestre lhe manda saudações — disse a raposa — e pede que você empreste sua balança de grãos.

— Minha balança de grãos! — repetiu o rei, surpreso. — Quem é seu mestre e por que ele quer minha balança de grãos?

— Psiu! — A raposa sussurrou como se não quisesse que os cortesãos ouvissem o que ele estava dizendo.

Então, chegando bem perto do rei, ela murmurou em seu ouvido:

— Certamente você já ouviu falar de Mikko, não é? Mikko, o poderoso, como ele é chamado.

O rei nunca havia ouvido falar de nenhum Mikko que fosse conhecido como poderoso Mikko, mas, pensando que talvez devesse ter ouvido falar dele, balançou a cabeça e murmurou:

— Mikko! O poderoso Mikko! Ah, com certeza! Sim, sim, claro!

— Meu mestre está prestes a começar uma jornada e precisa de uma balança por um motivo muito particular.

— Compreendo! Eu entendo! — disse o rei, que, embora não entendesse, deu ordens para que a balança de grãos usada na despensa do castelo fosse trazida e entregue à raposa.

A raposa levou a balança e a escondeu na floresta. Então, ela se apressou para encontrar todos os tipos de cantos e recantos onde as pessoas escondiam suas economias e pegou um pedaço de ouro aqui e um de prata lá, até ter um punhado. Depois, voltou ao bosque e enfiou as várias moedas nas fendas da balança. No dia seguinte, ela voltou ao castelo do rei.

— Meu mestre, o poderoso Mikko, agradece, ó rei, pelo uso da sua balança de grãos — disse ela.

O rei estendeu a mão e, quando a raposa lhe deu a balança, espiou dentro para ver se por acaso continha algum traço do que havia sido medido recentemente. Seus olhos, é claro, imediatamente captaram o brilho das moedas de ouro e prata alojadas nas fendas.

— Ah! — ele disse, pensando que Mikko devia ser um senhor muito poderoso para ser tão descuidado com sua riqueza. — Gostaria de conhecer seu mestre. Por que você e ele não vêm me visitar?

Era isso que a raposa queria que o rei dissesse, mas fingiu hesitar para responder.

— Agradeço sua Majestade pelo gentil convite — disse ela —, mas temo que meu mestre não possa aceitá-lo agora. Ele quer se casar em breve, e estamos prestes a começar uma longa jornada para conhecer várias princesas estrangeiras.

Isso deixou o rei ainda mais ansioso para que Mikko o visitasse imediatamente, pois ele pensava que, se Mikko visse sua filha antes de ver aquelas princesas estrangeiras, ele poderia se apaixonar e se casar com ela. Então ele disse à raposa:

— Meu caro amigo, peça ao seu mestre para me fazer uma visita antes que ele comece as viagens! Você vai fazer isso, não é?

A raposa olhou para um lado e para o outro como se estivesse com vergonha de falar.

— Majestade — ela disse finalmente —, peço que perdoe minha franqueza. A verdade é que você não é rico o suficiente para receber meu mestre, e seu castelo não é grande o suficiente para abrigar a imensa comitiva que sempre o acompanha.

O rei, que a essa altura estava desesperado para conhecer Mikko, perdeu a cabeça completamente.

— Minha querida raposa — ele disse —, darei a você qualquer coisa no mundo se você insistir com seu mestre para que ele me visite imediatamente! Você não poderia sugerir que ele viajasse com uma comitiva modesta dessa vez?

A raposa balançou a cabeça.

— Não. Sua regra é viajar com um grande séquito ou andar a pé disfarçado de um pobre lenhador e acompanhado apenas por mim.

— Você não poderia convencê-lo a vir a mim disfarçado de pobre lenhador? — implorou o rei. — Quando ele chegar aqui, eu poderia colocar roupas lindas à sua disposição.

No entanto, a raposa ainda balançou a cabeça.

— Receio que o guarda-roupa de Sua Majestade não contenha o tipo de roupa ao qual meu mestre está acostumado.

— Garanto que tenho roupas muito boas — disse o rei. — Venha agora mesmo e vamos analisá-las, e tenho certeza de que você encontrará alguma coisa que seu mestre usaria.

Então eles foram para uma sala que era como um grande guarda-roupa com centenas e centenas de cabides, sobre os quais estavam pendurados centenas de casacos, calças e camisas bordadas. O rei ordenou que seus servos tirassem as roupas uma a uma e as colocassem diante da raposa.

Eles começaram pelas roupas mais simples.

— Bom o suficiente para a maioria das pessoas — disse a raposa —, mas não para o meu mestre.

Em seguida, eles tiraram roupas de qualidade mais fina.

— Receio que você esteja tendo todo esse trabalho em vão — disse a raposa. — Francamente, você não entendeu que meu mestre não poderia usar nenhuma dessas coisas?

O rei, que guardava suas roupas mais lindas apenas para ele mesmo, agora ordenava que elas fossem mostradas.

A raposa olhou para elas com o canto do olho, torceu o nariz e finalmente disse:

— Bem, talvez meu mestre consentisse em usá-las por alguns dias. Não é nem parecido com o que ele está acostumado a usar, mas vou dizer isso para ele. Ele não é uma pessoa orgulhosa.

O rei ficou muito feliz.

— Muito bem, minha cara raposa, vou preparar as salas de vestir para a visita de seu mestre e deixarei minhas melhores roupas à disposição dele. Você não vai me decepcionar, vai?

— Farei o melhor que puder — prometeu a raposa.

E, assim, ela se despediu do rei cordialmente e correu para a casa de Mikko.

No dia seguinte, quando a princesa espiava pela janela superior do castelo, viu um jovem lenhador se aproximar acompanhado de uma raposa. Era um jovem robusto e fino, e a princesa, que sabia, pela presença da raposa, que aquele deveria ser Mikko, deu um longo suspiro e confidenciou à sua criada:

— Acho que eu poderia me apaixonar por esse jovem, mesmo que ele realmente fosse apenas um lenhador!

Mais tarde, quando o viu vestido com as melhores roupas de seu pai — que ficaram tão bem em Mikko que ninguém as reconheceu como sendo do rei —, ela perdeu completamente o controle sobre seu coração e, quando a apresentaram a Mikko, ela corou e tremeu, como qualquer garota comum faria diante de um jovem tão bonito.

Toda a corte ficou encantada com Mikko. As damas entraram em êxtase por suas maneiras modestas, sua bela figura e a beleza de suas roupas, e os velhos conselheiros de barba grisalha, balançando a cabeça em aprovação, disseram um ao outro:

— Que belo jovem! Apesar de sua grande riqueza, veja como ele nos escuta educadamente quando conversamos!

No dia seguinte, a raposa foi em particular ao rei e disse:

— Meu mestre é um homem de poucas palavras e julgamento rápido. Ele me pede que lhe diga que se agrada muitíssimo de sua filha, a princesa, e que, com a sua aprovação, ele fará o pedido de casamento imediatamente.

O rei ficou muito agitado e começou:

— Minha cara raposa...

A raposa o interrompeu para dizer:

— Pense sobre o assunto com calma e me dê sua decisão amanhã.

Assim, o rei consultou a princesa e seus conselheiros e, em pouco tempo, o casamento foi organizado, e a cerimônia de casamento aconteceu.

— Eu não disse? — falou a raposa quando ela e Mikko ficaram sozinhos após o casamento.

— Sim — reconheceu Mikko —, você prometeu que eu me casaria com a princesa. Mas, diga-me, agora que sou casado, o que devo fazer? Não posso viver aqui para sempre com minha esposa.

— Não se preocupe — disse a raposa. — Eu pensei em tudo. Faça o que eu digo e você nada terá para se arrepender. Hoje à noite, diga ao rei: "Agora é justo que você me visite e veja por si mesmo o castelo onde sua filha reinará de agora em diante!".

Quando Mikko disse isso ao rei, este ficou muito feliz porque, agora que o casamento realmente havia se realizado, ele se perguntava se talvez não tivesse sido um pouco precipitado. As palavras de Mikko o tranquilizaram, e ele logo aceitou o convite.

No dia seguinte, a raposa disse a Mikko:

— Agora vou seguir na frente e preparar as coisas para você.

— Mas para onde você está indo? — perguntou Mikko, assustado com a ideia de ser abandonado por sua amiga.

A raposa sussurrou baixinho:

— A alguns dias de marcha daqui, há um castelo muito lindo, pertencente a um velho dragão perverso, conhecido como Verme. Eu acho que o castelo do Verme se adequaria a você.

— Tenho certeza de que sim — concordou Mikko. — Mas como podemos tirá-lo do Verme?

— Confie em mim — disse a raposa. — Tudo o que você precisa fazer é o seguinte: conduza o rei e seus cortesãos pela estrada principal até que, ao meio-dia de amanhã, chegue a uma encruzilhada. Vire à esquerda e siga em frente até ver a torre do castelo do Verme. Se você encontrar homens à margem, pastores ou algo parecido, pergunte-lhes para quem eles trabalham e não demonstre surpresa com a resposta. Agora, querido mestre, digo adeus até nos encontrarmos novamente em seu lindo castelo.

A pequena raposa partiu em um ritmo apressado, e Mikko, a princesa e o rei, acompanhados por toda a corte, partiram em seguida, em um ritmo mais tranquilo.

A pequena raposa deixou a estrada principal na encruzilhada e logo encontrou dez lenhadores com machados sobre os ombros. Eles estavam todos vestidos com avental azul do mesmo corte.

— Bom dia — disse a raposa educadamente. — Para quem vocês trabalham?

— Nosso mestre é conhecido como Verme — disseram os lenhadores.

— Meus pobres, pobres rapazes! — disse a raposa, balançando a cabeça tristemente.

— Qual é o problema? — perguntaram os lenhadores.

Por alguns instantes, a raposa fingiu estar tomada pela emoção. Então ela disse:

— Meus pobres rapazes, vocês não sabiam que o rei está vindo com um grande exército para destruir Verme e todo o seu povo?

Os lenhadores eram pessoas simples, e essa notícia os deixou muito consternados.

— Não há como escaparmos? — perguntaram eles.

A raposa colocou a pata na cabeça e pensou.

— Bem — disse finalmente —, há uma maneira de escapar. Digam a todos que perguntarem que vocês trabalham para o poderoso Mikko. Mas, se vocês valorizam suas vidas, nunca mais digam que seu mestre é Verme.

— Somos servos do poderoso Mikko! — começaram a repetir várias vezes os homens da floresta. — Somos servos do poderoso Mikko!

Um pouco mais adiante, na estrada, a raposa encontrou vinte cavalariços, vestidos com as mesmas batas azuis, que cuidavam de cem belos cavalos. A raposa conversou com os vinte cavalariços como conversara com os homens da floresta e, antes de deixá-los, eles também estavam gritando:

— Somos servos do poderoso Mikko!

Em seguida, a raposa chegou a um enorme rebanho de mil ovelhas, pastoreadas por trinta pastores, todos vestidos com a bata azul do Verme. Ele parou e conversou com eles, e por fim eles gritaram:

— Somos servos do poderoso Mikko!

Então a raposa continuou trotando até chegar ao castelo do Verme. Lá dentro, ela encontrou o Verme, que vagava preguiçosamente. Era um dragão enorme e havia sido um grande guerreiro em sua época. Na verdade, o castelo, suas terras, seus servos e seus bens haviam sido todos conquistados em batalha. Mas agora, por muitos anos, ninguém ousava lutar contra ele, e ele foi ficando preguiçoso.

— Bom dia — disse a raposa, fingindo estar sem fôlego e assustada. — Você é o Verme, não é?

— Sim — disse o dragão, orgulhoso —, eu sou o Grande Verme!

A raposa fingiu ficar mais agitada.

— Meu pobre companheiro, sinto muito por você! Mas é claro que nenhum de nós pode esperar viver para sempre. Bem, eu devo me apressar. Pensei em parar e me despedir.

Preocupado com as palavras da raposa, o Verme gritou:

— Espere só um minuto! Qual é o problema?

A raposa já estava na porta, mas, diante do pedido do Verme, ela parou e disse por cima do ombro:

— Ora, meu pobre companheiro, você certamente sabe, não é? Que o rei está vindo com um grande exército para destruir você e todo o seu povo!

— O quê?

O Verme ofegou, ficando verde de medo. Ele sabia que estava gordo e fraco e que nunca mais poderia lutar como nos anos passados.

— Não vá ainda! — implorou ele à raposa. — Quando o rei vem?

— Ele está na estrada agora! É por isso que eu devo ir! Adeus!

— Minha cara raposa, fique um momento e eu lhe recompensarei ricamente! Ajude-me a me esconder para que o rei não me encontre! Que tal o galpão onde o linho fica armazenado? Eu poderia me esconder debaixo do linho e, se você trancasse a porta pelo lado de fora, o rei nunca poderia me encontrar.

— Muito bem — concordou a raposa —, mas devemos nos apressar!

Então eles correram para o galpão onde o linho ficava guardado, e o Verme se escondeu debaixo do monte. A raposa trancou a porta, depois incendiou o galpão e logo nada mais restava do velho dragão perverso, o Verme, a não ser um punhado de cinzas.

A raposa, então, reuniu os criados do dragão e falou sobre Mikko, como havia feito com os lenhadores, os cavalariços e os pastores.

Enquanto isso, o rei e sua comitiva vinham lentamente, percorrendo o caminho que a raposa fizera com tanta rapidez. Quando chegaram aos dez lenhadores de bata azul, o rei disse:

— Para quem trabalham esses lenhadores?

Um de seus acompanhantes perguntou aos lenhadores, e os dez gritaram ao mesmo tempo:

— Somos servos do poderoso Mikko!

Mikko nada disse, e o rei e toda a corte ficaram impressionados novamente com sua modéstia.

Um pouco mais adiante, encontraram os vinte cavalariços com seus cem cavalos empinados. Quando foram interrogados, eles responderam em voz alta:

— Somos servos do poderoso Mikko!

— A raposa certamente falou a verdade — pensou o rei — quando me contou sobre as riquezas de Mikko!

Pouco depois, encontraram os trinta pastores, que, quando questionados, responderam em um coro ensurdecedor:

— Somos homens do poderoso Mikko!

A visão das mil ovelhas que pertenciam a seu genro fez o rei se sentir pobre e humilde, e os cortesãos sussurraram entre si:

— Por toda sua maneira simples, o poderoso Mikko deve ser um senhor mais rico e poderoso do que o próprio rei! De fato, apenas um senhor muito rico pode ser tão simples!

Por fim, chegaram a um castelo que, pelos soldados de bata azul que guardavam o portão, eles sabiam que seria de Mikko. A raposa saiu para dar as boas-vindas à comitiva do rei e, atrás dele, em duas fileiras, vieram todos os empregados domésticos. Estes, a um sinal da raposa, gritaram em uma só voz:

— Somos servos do poderoso Mikko!

Então Mikko, da mesma maneira simples como faria na pequena cabana de seu pai na floresta, deu as boas-vindas ao rei e sua comitiva, e todos entraram no castelo, onde encontraram um grande banquete já preparado e esperando.

O rei permaneceu no castelo por vários dias e, quanto mais olhava para Mikko, mais satisfeito ficava por tê-lo como genro.

Quando partiu, ele disse a Mikko:

— Seu castelo é tão maior que o meu que hesito em pedir que me visite.

No entanto, Mikko tranquilizou o rei, dizendo sinceramente:

— Meu querido sogro, quando entrei no seu castelo, pensei que aquele era o castelo mais bonito do mundo!

O rei ficou lisonjeado, e os cortesãos sussurraram entre si:

— Como é afável da parte dele dizer isso quando sabe muito bem que seu castelo é muito mais grandioso!

Depois que o rei e sua comitiva partiram, a pequena raposa vermelha veio até Mikko e disse:

— Agora, meu mestre, você não tem motivos para se sentir triste e sozinho. Você é o senhor do castelo mais bonito do mundo e tem como esposa uma doce e adorável princesa. Você não precisa mais de mim, então vou me despedir.

Mikko agradeceu à raposa por tudo o que havia feito por ele, e a raposa correu para a floresta.

O pobre pai de Mikko, embora não tivesse nenhuma riqueza para deixar ao filho, foi a fonte de toda essa boa sorte, pois foi ele quem disse ao filho para levar para casa vivo tudo o que pudesse encontrar preso nas armadilhas.

A NOIVA DA FLORESTA

Era uma vez um fazendeiro que tinha três filhos. Um dia, quando os meninos já estavam crescidos, ele lhes disse:

— Meus filhos, está mais do que na hora de vocês todos se casarem. Amanhã desejo que vocês saiam à procura de noivas.

— Mas para onde iremos? — perguntou o filho mais velho.

— Eu também pensei nisso — disse o pai. — Cada um de vocês cortará uma árvore e depois tomará a direção que a árvore caída apontar. Tenho certeza de que, se caminharem longe o suficiente nessa direção, cada um de vocês encontrará uma noiva adequada.

No dia seguinte, os três filhos derrubaram árvores. A árvore do filho mais velho caiu apontando para o norte.

— Isso combina comigo! — disse ele, pois sabia que ao norte havia uma fazenda onde morava uma garota muito bonita.

A árvore do segundo filho caiu apontando para o sul.

— Isso combina comigo! — declarou o segundo filho, pensando em uma garota com quem dançava frequentemente e que vivia em uma fazenda ao sul.

A árvore do filho mais novo, cujo nome era Veikko, caiu apontando diretamente para a floresta.

Os irmãos mais velhos debocharam:

— Veikko terá de cortejar uma das meninas lobo ou uma das raposas!

Eles queriam dizer com isso que apenas animais viviam na floresta e pensavam que estavam fazendo uma boa piada à custa de Veikko. Este, porém, disse que estava perfeitamente disposto a se arriscar e ir para onde sua árvore apontava.

Os irmãos mais velhos partiram alegremente e foram apresentar seus pedidos aos dois agricultores cujas filhas eles tanto admiravam. Veikko também partiu com bravura, mas, depois de ter se distanciado um pouco dentro da floresta, sua coragem começou a diminuir.

"Como posso encontrar uma noiva", ele se perguntava, "em um lugar onde não há criaturas humanas?"

Nesse exato momento, Veikko avistou uma pequena cabana. Ele foi até ela, abriu a porta e entrou. A cabana estava vazia. Para dizer a verdade, havia uma pequena ratinha em cima da mesa, que penteava delicadamente seus bigodes, mas, é claro, uma ratinha não conta.

— Não há ninguém aqui! — disse Veikko em voz alta.

A ratinha parou de arrumar os cabelos e, virando-se para ele com ar de reprovação, disse:

— Como assim, Veikko? Eu estou aqui!

— Mas você não conta. Você é apenas uma ratinha!

— Claro que conto! — declarou a ratinha. — Mas me diga: o que você esperava encontrar aqui?

— Eu esperava encontrar uma namorada.

A ratinha o questionou um pouco mais, e Veikko contou a ela toda a história de seus irmãos e das árvores.

— Meus dois irmãos mais velhos estão encontrando namoradas com bastante facilidade — disse Veikko —, mas não vejo como posso encontrar alguém aqui na floresta. E vai me envergonhar ter de voltar para casa e confessar que só eu falhei.

— Por que você não me pede em namoro?

Veikko riu com cordialidade.

— Mas você é apenas uma rata! Quem já ouviu falar de um homem que tivesse uma rata como namorada?

A rata balançou a cabecinha solenemente.

— Acredite, Veikko, você pode encontrar namoradas muito piores que eu! Mesmo sendo apenas uma rata, posso amá-lo e ser fiel a você.

Ela era uma ratinha pequena e delicada e, enquanto olhava para Veikko com as patinhas sob o queixo e os olhinhos brilhantes, Veikko foi gostando mais e mais dela.

Então ela cantou para Veikko uma música muito bonita, e a música o animou tanto que ele esqueceu sua decepção por não encontrar uma namorada humana. E, quando a deixou para ir para casa, Veikko disse:

— Muito bem, ratinha, você será minha namorada!

Com isso, a rata deu pequenos gritinhos de alegria e disse que seria fiel a ele e que esperaria por ele, não importa quanto tempo ele demorasse para voltar.

Os irmãos mais velhos, quando chegaram em casa, gabavam-se em voz alta de suas namoradas.

— A minha — disse o mais velho — tem as bochechas mais rosadas que você já viu!

— E a minha — o segundo anunciou — tem longos cabelos loiros!

Veikko nada disse.

— Qual é o problema, Veikko? — perguntaram os irmãos mais velhos, rindo. — A sua namorada tem orelhas pontudas ou dentes brancos e afiados?

Eles ainda estavam fazendo piada sobre raposas e lobos.

— Vocês não precisam rir — disse Veikko. — Encontrei uma namorada. Ela é uma coisinha delicada, vestida de veludo.

— Vestida de veludo! — repetiu o irmão mais velho com uma careta.

— Como uma princesa! — zombou o segundo irmão.

— Sim — repetiu Veikko — vestida de veludo como uma princesa. E, quando ela se senta e canta para mim, eu sou perfeitamente feliz.

Os irmãos mais velhos resmungaram, nada satisfeitos com o fato de que Veikko tivesse encontrado uma namorada tão magnífica.

— Bem — disse o velho fazendeiro depois de alguns dias —, agora eu gostaria de saber o que suas namoradas são capazes de fazer. Peça que cada uma asse um pedaço de pão para que eu possa ver se são boas donas de casa.

— A minha será capaz de assar pão, tenho certeza disso! — declarou o irmão mais velho, orgulhoso.

— A minha também — disse o segundo irmão.

Veikko ficou em silêncio.

— E a princesa? — perguntaram eles, rindo. — Você acha que a princesa sabe assar pão?

— Eu não sei — respondeu Veikko com sinceridade. — Vou ter de perguntar a ela.

É claro que ele não tinha motivo para supor que a ratinha soubesse assar pão e, quando chegou à cabana na floresta, estava se sentindo triste e desanimado.

Quando abriu a porta da cabana, encontrou a ratinha como da primeira vez, sentada na mesa, penteando delicadamente seus bigodes. Ao ver Veikko, ela dançou de alegria.

— Estou tão feliz em vê-lo! — chiou ela. — Eu sabia que você voltaria!

Quando ela percebeu que ele estava calado, perguntou qual era o problema. E Veikko disse:

— Meu pai quer que cada uma de nossas namoradas cozinhe um pão de forma para ele. Se eu voltar para casa sem pão, meus irmãos vão rir de mim.

— Você não vai precisar ir para casa sem pão! — disse a ratinha. — Eu sei assar pão.

Veikko ficou muito surpreso com isso.

— Nunca ouvi falar de uma rata capaz de assar pão!

— Bem, eu sei! — insistiu a ratinha.

Com isso, ela começou a tocar um pequeno sino de prata: tlim, tlim, tlim. No mesmo instante, houve o som de passos apressados, pequenos passos arranhados, e centenas de ratos entraram correndo na cabana.

A ratinha, agora sentada em um posição ereta e digna, ordenou:

— Cada um de vocês vai me trazer um grão do melhor trigo.

Todos os ratos saíram rapidamente e logo retornaram, um a um, cada um carregando um grão do melhor trigo. Depois disso, não foi nenhum desafio para a princesa rata assar um belo pedaço de pão de trigo.

No dia seguinte, os três irmãos apresentaram a seu pai os pães feitos por suas amadas. O mais velho tinha um pedaço de pão de centeio.

— Muito bom! — disse o fazendeiro. — Para pessoas trabalhadoras como nós, pão de centeio faz bem.

O pão que o segundo filho trouxe era feito de cevada.

— O pão de cevada também é bom — disse o agricultor.

No entanto, quando Veikko apresentou seu belo pão de trigo, o pai gritou:

— O quê? Pão branco! Ah, Veikko deve ter uma namorada muito rica!

— Claro! — zombaram os irmãos mais velhos. — Ele não nos disse que ela era uma princesa? Diga, Veikko, quando uma princesa quer farinha branca refinada, como ela faz para conseguir?

Veikko respondeu simplesmente:

— Ela toca um pequeno sino de prata e, quando seus servos entram, ela pede que tragam grãos do melhor trigo.

Com isso, os irmãos mais velhos quase explodiram de inveja, até que o pai teve de reprová-los.

— Calma, calma! Não sejam rancorosos com a boa sorte do garoto! Cada garota assou o pão que sabe fazer, e cada uma a seu modo provavelmente será uma boa esposa. Mas, antes que vocês as tragam aqui em casa para eu vê-las, quero mais uma prova das habilidades delas. Que cada uma me envie uma amostra do que sabe tecer.

Os irmãos mais velhos ficaram encantados com isso, porque sabiam que suas namoradas eram boas tecelãs.

— Vamos ver como sua senhoria se sai dessa vez! — disseram eles, com a certeza em seus corações de que a namorada de Veikko, quem quer que fosse, não os faria passar vergonha.

Veikko também tinha sérias dúvidas sobre as habilidades da ratinha no tear.

"Quem já ouviu falar de uma rata que saiba tecer?" ele disse para si mesmo quando abriu a porta da cabana da floresta.

— Ah, aí está você, finalmente! — chiou a ratinha alegremente.

Ela estendeu as patinhas em boas-vindas e depois, empolgada, começou a dançar sobre a mesa.

— Você está realmente feliz por me ver, ratinha? — perguntou Veikko.

— Claro que estou! — declarou a ratinha. — Pois não sou sua namorada? Eu estava esperando por você e desejando muito que você voltasse! Seu pai quer algo mais desta vez, Veikko?

— Sim, e é algo que temo que você não possa me dar, ratinha.

— Talvez eu possa. Diga-me o que é.

— É uma amostra da sua tecelagem. Eu não acho que você possa tecer. Nunca ouvi falar de uma rata que soubesse tecer.

— Tut! Tut! — disse a rata. — Claro que sei tecer! Seria muito estranho se a namorada de Veikko não soubesse tecer!

Ela tocou o pequeno sino de prata, tlim, tlim, tlim, e no mesmo instante ouviu-se o arranhão fraco de cem patinhas, e ratos vieram correndo de todas as direções e sentaram-se sobre seus quadris, aguardando as ordens da princesa.

— Quero que cada um de vocês me traga uma fibra de linho, do melhor que existir — disse ela.

Os ratos saíram correndo e logo começaram a retornar, um por um, cada um trazendo uma fibra de linho. Depois que eles fiaram e cardaram o linho, a ratinha teceu um belo pedaço de linho fino. Ele era tão puro que ela foi capaz de dobrá-lo e colocá-lo em uma casca de noz vazia.

— Aqui está, Veikko — disse ela. — Nesta caixinha há uma amostra da minha tecelagem. Espero que seu pai goste.

Veikko, ao chegar em casa, sentiu-se quase constrangido, pois tinha certeza de que a tecelagem de sua namorada envergonharia seus irmãos. Por isso, a princípio, ele manteve a casca de noz escondida no bolso.

A namorada do irmão mais velho enviara como amostra um quadrado de algodão cru.

— Não é muito fino — disse o agricultor —, mas é bom o suficiente.

A amostra do segundo irmão era um quadrado de algodão e linho misto.

— Um pouco melhor — disse o fazendeiro, balançando a cabeça.

Então ele se virou para Veikko.

— E você, Veikko? Sua namorada não lhe deu uma amostra do tecido dela?

Veikko entregou ao pai a casca de noz. Ao verem aquilo, os irmãos mais velhor começaram a rir e disseram:

— A namorada de Veikko lhe dá uma noz quando ele pede uma amostra de sua tecelagem!

No entanto, as risadas pararam quando o fazendeiro abriu a casca da noz e começou a sacudir uma grande teia do linho mais fino.

— Céus, Veikko! Como foi que sua namorada conseguiu fazer algo tão maravilhoso?

Veikko respondeu modestamente:

— Ela tocou seu pequeno sino de prata e ordenou que seus servos lhe trouxessem fibras do melhor linho. Eles fizeram isso e, depois que eles fiaram e cardaram o linho, minha namorada teceu a teia que você vê.

— Maravilhoso! — disse o fazendeiro, ofegante. — Eu nunca vi uma tecelã como essa! As outras garotas serão boas esposas para fazendeiros, mas a namorada de Veikko deve ser uma princesa!

E o fazendeiro concluiu:

— Bem, é hora de todos vocês trazerem suas namoradas para casa. Quero vê-las com meus próprios olhos. Vocês podem trazê-las amanhã.

"Ela é uma boa ratinha, e eu gosto muito dela", pensou Veikko consigo mesmo enquanto saía para a floresta, "mas meus irmãos certamente vão rir quando descobrirem que ela é apenas uma ratinha! Bem, eu não ligo se eles rirem! Ela tem sido uma boa namorada para mim, e eu não vou ter vergonha dela!"

Quando chegou à cabana, foi logo dizendo à ratinha que seu pai queria vê-la.

A ratinha ficou muito animada.

— Devo ir no estilo certo! — disse ela.

Ela tocou a pequena campainha de prata e pediu sua carruagem, que era uma casca de noz vazia, e cinco cavalos. A ratinha sentou-se na carruagem, tendo um rato de cocheiro na caixa à sua frente e um rato lacaio na caixa atrás dela.

"Ah, como meus irmãos vão rir!", pensou Veikko.

No entanto, ele não riu. Caminhou ao lado da carruagem e disse à ratinha para não se assustar, porque ele cuidaria bem dela. O pai, disse ele, era um senhor amável e seria gentil com ela.

Quando saíram da floresta, chegaram a um rio que era atravessado por uma ponte. Assim que Veikko e a carruagem chegaram ao meio da ponte, avistaram um homem que vinha da direção oposta.

— Perdoe-me! — exclamou o homem ao avistar a estranha carruagem que vinha rolando ao lado de Veikko. — O que é isso?

Ele se abaixou e olhou. Depois, com uma risada alta, estendeu o pé e chutou a carruagem, a ratinha, seus criados e os cinco cavalos, e todos caíram da ponte e mergulharam na água.

— O que é que você fez? O que você fez? — Veikko chorou. — Você afogou minha pobre namorada!

O homem saiu correndo, pois achou que Veikko estava louco.

Veikko, com lágrimas nos olhos, olhou para a água.

— Pobre ratinha! — disse ele. — Sinto muito por você ter se afogado! Você era uma namorada fiel e amorosa, e, agora que você se foi, sei o quanto a amava!

Enquanto ele falava, viu uma bela carruagem de ouro puxada por cinco cavalos brilhantes subir a margem oposta do rio. Um cocheiro trajando rendas douradas segurava as rédeas, e um lacaio de gorro pontudo estava sentado atrás. A garota mais bonita do mundo estava sentada na carruagem. Sua pele era rosada como uma cereja e branca como a neve. Seus longos cabelos dourados brilhavam com joias, e ela usava um vestido de veludo perolado. Ela acenou para Veikko e, quando ele se aproximou, ela perguntou:

— Você não vem se sentar ao meu lado?

— Eu? Eu? — gaguejou Veikko, atordoado demais para pensar.

A bela criatura sorriu.

— Você não teve vergonha de me amar quando eu era apenas uma rata — disse ela — e, certamente, agora que sou uma princesa de novo, você não vai me abandonar!

— Uma rata! — disse Veikko, ofegante. — Você era a ratinha?

A princesa concordou com a cabeça.

— Sim, eu era a ratinha sob um encantamento maligno que nunca poderia ser quebrado se você não tivesse me aceitado como namorada e outro ser humano não tivesse me afogado. Agora o encantamento foi quebrado para sempre. Então venha, iremos a seu pai, e, depois que ele nos der a bênção, nós nos casaremos e voltaremos para o meu reino.

E foi exatamente o que eles fizeram. Eles foram de carruagem até a casa do fazendeiro e, quando o pai de Veikko, seus irmãos e as namoradas de seus irmãos viram a carruagem da princesa parar em seu portão, todos saíram se curvando para ver o que uma pessoa tão majestosa poderia querer com eles.

— Pai! — exclamou Veikko. — Você não me conhece?

O fazendeiro parou de se curvar por tempo suficiente para olhar para cima.

— Ora, glória aos céus! — exclamou. — É o nosso Veikko!

— Sim, pai, sou eu, Veikko, e esta é a princesa com quem vou me casar!

— Uma princesa foi o que você disse, Veikko? Misericórdia! Onde meu garoto encontrou uma princesa?

— Na floresta para a qual minha árvore apontava.

— Ora, ora, ora — disse o fazendeiro. — Veja só para onde sua árvore apontou! Eu sempre ouvi dizer que essa era uma boa maneira de encontrar uma noiva.

Os irmãos mais velhos balançaram a cabeça tristemente e murmuraram:

— Foi pura sorte! Se nossas árvores tivessem apontado para a floresta, também teríamos encontrado princesas em vez de simples moças do campo!

Contudo, eles estavam muito errados: não foi porque a árvore dele apontou para a floresta que Veikko conquistou a princesa. Foi porque ele era simples e bom e porque foi gentil até com uma mísera ratinha.

Depois de receberem a bênção do fazendeiro, eles voltaram para o reino da princesa e se casaram. E eles foram felizes como deveriam, pois eram bons e fiéis um ao outro e se amavam muito.

PER GYNT

Nos tempos antigos, vivia em Kvam[1] um caçador chamado Per Gynt, que estava sempre perambulando pelas montanhas à procura de ursos e alces, pois naqueles dias havia mais florestas nas montanhas do que atualmente e, em consequência, muitos animais selvagens.

Certa noite, no final do outono, muito depois de o gado deixar as montanhas, Per partiu para uma de suas expedições habituais. Todas as leiteiras também já haviam partido, exceto as três meninas da fazenda Vala. Quando Per partiu em direção a Hovring, onde pretendia passar a noite em um laticínio deserto, estava tão escuro que ele mal conseguia ver um palmo à sua frente. Os cães latiam violentamente, e tudo era muito lúgubre e desagradável.

---

1. Kvam é uma comuna do condado de Hordaland, na Noruega.

De repente, ele esbarrou em alguma coisa e, quando estendeu a mão, sentiu que era algo frio, escorregadio e muito grande. Como não achava que tivesse saído da estrada, não tinha ideia do que poderia ser aquilo, mas, de qualquer forma, a sensação era bastante desagradável.

— Quem está aí? — perguntou Per, pois agora ele podia sentir que a criatura estava se mexendo.

— Ah, é Humpy — foi a resposta.

Isso não ajudava muito, mas Per caminhou por um lado da estrada por alguma distância, pensando que assim seria capaz de passar pela presença misteriosa. Contudo, depois de algum tempo, ele esbarrou novamente em alguma coisa e, quando estendeu a mão, sentiu que era algo muito grande, frio e escorregadio.

— Quem está aí? — perguntou Per Gynt.

— Ah, é Humpy — foi a resposta novamente.

— Bem, você terá de me deixar passar, seja você o Humpy ou não — disse Per, pois imaginou que estava andando em círculos e que o monstro também havia dado a volta ao redor do laticínio.

Nesse momento, o monstro se moveu um pouco para o lado, então Per passou por ele e logo encontrou a casa.

Quando Per entrou na casa, descobriu que lá dentro não estava mais claro que lá fora. Ele se movia tateando ao longo da parede para guardar a arma e pendurar a bolsa, mas, enquanto tateava dessa maneira, sentiu novamente algo frio, grande e escorregadio.

— Quem está aí? — gritou Per.

— Ah, é o grande Humpy — foi a resposta.

Por onde quer que Per esticasse as mãos ou tentasse passar, dava de encontro com o monstro.

— Não é muito agradável estar aqui, tenho certeza — pensou Per —, já que esse tal de Humpy está tanto do lado de fora quanto do lado de dentro, mas tentarei ao máximo tirar esse intruso do meu caminho.

Então ele pegou a arma e saiu, sentindo o caminho com cuidado, até encontrar o que pensava ser a cabeça do monstro, que ele tinha certeza de que era um monstruoso *troll*.

— O que você é e quem é você? — perguntou Per.

— Ah, eu sou o grande Humpy, de Atndale — disse o *troll*.

Per não perdeu um momento e disparou três tiros na cabeça do *troll*.

— Dispare outro — ordenou o *troll*.

No entanto, Per era esperto e sabia que, se tivesse disparado outro tiro, a bala teria ricocheteado contra ele mesmo.

Per e os cães começaram a arrastar o *troll* para fora da casa, para que eles pudessem entrar e ficar à vontade. Enquanto estava assim ocupado, ouviu zombarias e risadas nas colinas ao redor.

— Per arrastou um pouco, mas os cachorrinhos arrastaram mais — disse uma voz.

Na manhã seguinte, ele saiu para investigar. Quando chegou às colinas, viu uma moça que estava pastoreando algumas ovelhas na encosta de uma colina. Contudo, quando ele chegou ao local, ela e as ovelhas haviam desaparecido e ele não viu nada além de um bando de ursos.

— Bem, eu nunca vi ursos em grupo antes — disse Per para si mesmo.

Quando ele se aproximou, todos desapareceram, exceto um.

— Cuide do seu porco, porque Per Gynt está por aí com sua arma enorme —gritou uma voz na colina.

— Ah, ele não pode ferir meu porco, ele não se lavou hoje — disse outra voz na colina.

Per lavou as mãos com um pouco de água que tinha com ele e depois atirou e derrubou o urso. Então ele ouviu mais zombarias e risadas na colina.

— Você deveria ter cuidado do seu porco! — exclamou uma voz.

— Esqueci que ele carregava água com ele — respondeu outra.

Per esfolou o urso e enterrou a carcaça. No caminho para casa, ele encontrou uma raposa.

— Olhe para o meu cordeiro! Veja como ele é gordo — disse uma voz em uma colina.

— Olhe para Per! Ele está levantando aquela arma dele! — exclamou outra voz, no exato momento em que Per ergueu a arma e atirou na raposa.

Per também esfolou a raposa e levou a pele com ele. Quando chegou ao laticínio, colocou a cabeça da raposa e a do urso na parede do lado de fora da casa, com as mandíbulas bem abertas. Então ele acendeu uma fogueira e colocou uma panela para fazer um pouco de sopa, mas a chaminé fumou tanto que ele mal conseguia manter os olhos abertos e, por isso, teve de abrir uma pequena janela.

Algum tempo depois, um *troll* apareceu e enfiou o nariz pela janela. O nariz era tão comprido que atravessava a sala e chegava até a lareira.

— Aqui está um bom nariz, se você quiser — disse o *troll*.

— E aqui está uma boa sopa! Você nunca provou nada igual! — respondeu Per, e com isso derramou a sopa fervente sobre o nariz do *troll*.

O *troll* fugiu chorando e gritando, mas, em todas as colinas ao redor, ouviam-se risos e zombaria, e as vozes gritavam:

— Ensopado de abelhudo! Ensopado de abelhudo!

Então tudo ficou em silêncio por algum tempo. Logo depois, Per ouviu um grande barulho e agitação do lado de fora da casa. Ele olhou para fora e viu uma grande carruagem puxada por ursos, que estavam levando o grande monstro para a montanha.

De repente, um balde de água foi jogado pela chaminé. O fogo se apagou, e Per ficou totalmente no escuro. Então começaram os risos em todos os cantos da sala, e uma voz disse:

— Agora Per não está melhor do que as garotas de Vala.

Então, Per acendeu o fogo novamente, fechou o laticínio e partiu para a fazenda Vala, levando os cães consigo. Depois de percorrer uma parte do caminho, viu um clarão de luz na direção da fazenda, e parecia que a casa estava pegando fogo. Nesse momento, ele se deparou com alguns lobos. Atirou em alguns deles, e seus cães mataram os outros.

Entretanto, quando chegou ao laticínio, estava tudo escuro por lá. Não havia sinal de fogo. Havia três estranhos na sala se divertindo com as leiteiras e um do lado de fora da porta. Eram quatro *trolls* das montanhas, e seus nomes eram Gust, Tron, Tjostol e Rolf. Gust estava do lado de fora vigiando, enquanto os outros estavam lá dentro cortejando as meninas. Per atirou em Gust, mas errou o tiro. O *troll* fugiu assustado e, quando Per entrou na casa, encontrou os *trolls* flertando com as meninas, que estavam mais desesperadas do que nunca.

Duas delas estavam terrivelmente assustadas e rezavam, mas a terceira, chamada Kari, não estava com nem um pingo de medo. Ela não se importava nem um pouco por eles estarem ali; ela gostaria de ver que tipo de companheiros eles eram. Mas, quando os *trolls* descobriram que Per estava na sala, começaram a reclamar e disseram a Rolf para pegar uma luz. E então os cães correram para cima de Tjostol e o derrubaram de costas nas brasas ardentes da lareira, de modo que as faíscas voaram sobre ele.

— Você viu alguma das minhas serpentes por aí, Per? — perguntou Tron. Era assim que ele chamava os lobos.

— Vou mandar você para o mesmo lugar que as cobras — respondeu Per e disparou contra ele.

Depois, Per matou Tjostol com a ponta de seu rifle. Rolf fugiu pela chaminé.

Quando ele se livrou de todos os *trolls*, as meninas juntaram suas coisas e Per as acompanhou até em casa. Elas não ousaram ficar nem mais um minuto nas colinas.

O REI DRAGÃO

Havia um rei que tinha uma rainha muito bonita. Mas eles não tinham filhos, e isso deixava o rei muito triste, e a rainha, mais triste ainda. Um dia, enquanto caminhava perdida em seus pensamentos, ela se viu em um lugar desconhecido. Ali a rainha encontrou uma velha que lhe perguntou por que estava tão triste. A rainha olhou para o céu e disse:

— Ah, de que adiantaria eu lhe contar? Não há nada que você possa fazer para me ajudar!

— Talvez eu possa — disse a velha, que mais uma vez pediu à rainha que confiasse nela.

Então a rainha disse que não tinha filhos, e era por isso que estava tão triste.

— Ah, isso pode ser remediado! — disse a velha. — Você pode ter filhos se quiser. Você só precisa colocar um prato virado para baixo no chão, no canto noroeste do jardim, ao pôr do sol. De manhã, ao nascer do sol, quando o levantar, vai encontrar duas rosas embaixo dele, uma vermelha e uma branca. Se você comer a rosa vermelha, terá um menino e, se comer a rosa branca, terá uma menina. Mas você não deve comer as duas rosas.

A rainha foi para casa e fez o que a velha lhe havia dito. De manhã, ao nascer do sol, ela foi ao jardim, levantou o prato do chão, e havia as duas rosas, a vermelha e a branca. Mas ela não conseguia decidir qual comer. Se escolhesse a rosa vermelha, seria um menino, que poderia ter de ir à guerra e morrer, e ela ficaria sem um filho novamente. Por isso pensou que era melhor pegar a rosa branca, pois assim teria uma garota que ficaria em casa com ela, casaria e se tornaria rainha de alguma outra terra. Então ela pegou a rosa branca e a comeu. Mas o sabor era tão bom que ela pegou a vermelha e comeu também. E pensou consigo mesma: "Se eles forem gêmeos, contarão como um".

O rei estava em uma guerra quando a rainha lhe escreveu dizendo que eles seriam abençoados com um filho. No entanto, quando a criança nasceu, era um pequeno dragão, que escorregou para debaixo da cama, no quarto dela, e fez daquele local o seu abrigo.

Depois de algum tempo, chegou uma carta do rei dizendo que ele logo estaria em casa. Quando ele chegou e a rainha saiu ao seu encontro, o pequeno dragão saiu para cumprimentá-lo ao mesmo tempo. Ele pulou no ar ao lado da carruagem e gritou:

— Bem-vindo, pai!

— O quê? — perguntou incrédulo o rei. — Eu sou seu pai?

— Sim. E, se você não quiser ser meu pai, farei você em pedaços e destruirei o castelo inteiro!

Então o rei teve de concordar em ser pai do dragão.

Quando entraram no castelo, a rainha teve de confessar tudo o que havia acontecido entre ela e a velha.

Poucos dias depois, todo o conselho e todos os nobres se reuniram para dar as boas-vindas ao rei e parabenizá-lo por sua vitória sobre o inimigo. E o dragão também veio e disse:

— Pai, agora eu quero me casar!

— Está tudo muito bem — ponderou o rei —, mas quem você acha que se casará com você?

— Bem, se você não encontrar uma noiva para mim, jovem ou velha, grande ou pequena, rica ou pobre, vou fazer você em pedaços e destruir o castelo inteiro!

O rei escreveu a todos os reinos para perguntar se alguém se casaria com seu filho. E uma linda princesa veio, embora ela achasse estranho que não tivesse permissão de ver seu pretendente até que estivessem no salão em que deveriam se casar. Só então o dragão apareceu e ficou ao lado dela. O dia do casamento chegou ao fim, mas, assim que ficaram sozinhos, o dragão a devorou.

O tempo passou, e o aniversário do rei chegou. Então, quando todos estavam sentados ao redor da mesa, o dragão veio e disse:

— Pai, eu quero me casar!

O rei respondeu:

— Onde vou encontrar uma mulher que esteja disposta a se casar com você?

— Bem, se você não encontrar uma noiva para mim, qualquer tipo de noiva, vou devorar você e destruir o castelo!

Mais uma vez, o rei enviou cartas a todos os outros reinos para perguntar se alguém desejava se casar com seu filho. E novamente apareceu uma linda princesa de um país distante. Ela não pôde ver o noivo até a hora do casamento. Só então o dragão apareceu e ficou ao lado dela. Mas, quando o casamento terminou e eles estavam sozinhos, o dragão acabou com ela.

Não muito tempo depois veio o aniversário da rainha. Quando todos estavam sentados ao redor da mesa, o dragão entrou e disse:

— Pai, eu quero me casar!

— Bem, não encontro outra noiva para você — disse o rei. — Os dois reis poderosos cujas filhas eu lhe arranjei querem fazer guerra comigo. Então, o que devo fazer?

— Ah, deixe-os vir! Enquanto nós dois tivermos um bom relacionamento, você não precisa se preocupar com a vinda deles, mesmo que houvesse dez em vez de dois deles. Mas, se você não me encontrar uma noiva, jovem ou velha, grande ou pequena, rica ou pobre, vou despedaçá-lo e despedaçar todo o castelo!

E o rei teve de ceder e se sentiu muito infeliz.

Mas havia um velho que era o pastor do rei. Ele tinha uma cabana na floresta e uma filha. O rei foi até ele e disse:

— Escute, meu caro companheiro, você não daria a mão de sua filha ao meu filho?

— Não, eu não posso fazer isso. Para começar, eu tenho apenas essa filha para cuidar de mim na velhice. Além disso, o príncipe, se já não teve piedade de duas lindas princesas, certamente não irá poupar minha filha, o que seria um pecado! —respondeu o pastor.

Entretanto o rei insistiu em ter a menina, e o velho teve de ceder. O velho pastor foi para casa e contou à filha. Ela ficou muito infeliz e saiu para caminhar na floresta com seus pensamentos tristes. Enquanto caminhava, a menina encontrou uma velha, que usava um casaco vermelho e uma jaqueta azul e também estava indo para o bosque para colher frutas selvagens e maçãs.

— Porque você está tão triste? — a mulher perguntou a ela.

— Tenho boas razões para estar triste — respondeu a garota —, mas pouco adianta contar a você, pois não há o que você possa fazer para me ajudar!

— Talvez haja — disse a velha. Conte-me o que a deixa triste!

— Bem, eu devo me casar com o filho do rei, mas ele é um dragão que já matou duas princesas, e tenho certeza de que ele também vai acabar comigo.

— Se você me ouvir, há uma maneira de ajudá-la — disse a velha.

E a menina ouviu os conselhos da velha com muita atenção.

— Quando você estiver casada e sozinha com o príncipe, você deve usar dez vestidos. Se você não tiver tantos, peça alguns emprestado. Depois, arrume um balde de soda cáustica, um de leite fresco e um chicote. Essas coisas devem ser levadas para o quarto. Quando ele entrar, ele dirá: "Adorável donzela, tire seu vestido!", e você deve dizer: "Rei Dragão, tire a sua pele!". E isso ele dirá a você, e você a ele, até você ter tirado nove vestidos e ele ter tirado nove peles. Aí ele não terá mais pele, mas você ainda terá um vestido. Então, quando ele não passar de um pedaço de carne sem pele, mergulhe o chicote na soda cáustica e bata nele até que ele quase desmorone. Em seguida, você deverá banhá-lo com leite fresco, envolvê-lo nos nove vestidos e colocá-lo na cama. E então você vai adormecer, mas por pouco tempo.

A menina agradeceu à velha por seus bons conselhos. Apesar disso, ela estava com muito medo, pois, afinal, era um jogo ousado demais fazer isso com um animal tão sinistro.

Chegou o dia do casamento, e duas damas da corte chegaram em uma carruagem grande e magnífica para adornar a donzela com suas roupas de noiva. Depois, ela foi levada para o castelo e, a seguir, para o salão. O dragão veio e ficou ao lado dela, e eles se casaram.

A noite chegou, e eles foram deixados a sós. Então a noiva pediu um balde de soda cáustica, um de leite e o chicote. Os cortesãos zombaram dela e disseram que aquilo não passava de superstição camponesa, mas o rei disse que ela teria tudo o que desejasse. E tudo foi entregue a ela. Antes de ficar sozinha com o marido, a menina vestiu os nove vestidos que conseguira sobre aquele que usava. Então o dragão disse: "Adorável donzela, tire seu vestido!" E ela respondeu: "Rei Dragão, tire sua pele!" E assim foi, até que ela tirou nove vestidos e ele tirou as nove peles. Então ela recuperou a coragem, pois o dragão estava deitado no chão e mal podia se mover. Ela pegou o chicote, mergulhou-o na soda cáustica e bateu nele com toda a força e por todo o tempo que pôde, até que o chicote estivesse gasto. Depois ela o mergulhou no leite fresco, o envolveu nos nove vestidos e o colocou na cama. Então ela imediatamente adormeceu, pois já era tarde. Quando acordou, ela viu diante dela um belíssimo príncipe.

Quando a manhã chegou, ninguém se atreveu a olhar pela porta do quarto, pois todos pensavam que ela havia encontrado o mesmo destino das duas princesas anteriores. Mas o rei decidiu dar uma espiada e, assim que abriu a porta, gritou: "Entrem! Tudo está como deveria estar!" E ele saiu, cheio de alegria, e trouxe a rainha e toda a corte. Lá estava o casal recém-casado recebendo os parabéns. E o casamento foi celebrado mais uma vez, com todo o esplendor e felicidade, e o rei e a rainha passaram a gostar muito da nora e não sabiam o que fazer para agradá-la e para mostrar o quanto a admiravam por tê-los livrado do dragão.

A guerra eclodiu novamente, e o velho rei e o rei Dragão estavam com seu exército quando a jovem rainha foi abençoada com dois meninos lindos. Naquela época, havia um cavaleiro na corte chamado Cavaleiro Vermelho. Ele foi enviado ao rei Dragão com uma carta para lhe dizer que era pai de dois belos meninos. O Cavaleiro Vermelho cavalgou um pouco, depois abriu a carta e modificou-a escrevendo que agora havia duas focas no castelo. O rei recebeu aquela carta e ficou muito triste, pois achou estranho que seus filhos fossem filhotes de foca. Ele poderia esperar um dragão ou algo assim. Mas focas? Ele escreveu outra carta dizendo que eles deveriam permitir que as criaturas vivessem até seu retorno se mostrassem algum sinal de vida. Esta carta o Cavaleiro Vermelho deveria levar de volta. Mas, depois de cavalgar um pouco, ele abriu a carta, como havia feito da primeira vez, e escreveu outra, dizendo que a rainha deveria ser queimada, junto com as crianças.

Essa carta entristeceu muito a velha rainha, pois ela gostava demais de sua jovem nora. Logo depois, chegou uma carta do rei anunciando seu retorno. Então todos ficaram assustados e sem saber o que fazer, pois a velha rainha não podia aceitar queimá-los na fogueira. Ela entregou as crianças a uma ama e ordenou que cuidasse delas, pois pensava que, afinal, quando o rei chegasse em casa, poderia mudar de ideia para melhor. E deu à jovem rainha comida e dinheiro e disse-lhe para se esconder na floresta.

A jovem rainha entrou no bosque e perambulou por dois dias inteiros; estava em grandes dificuldades. Ela avistou uma montanha alta e subiu até o topo sem parar pelo caminho. No topo da montanha, havia três bancos, e ela sentou-se no do meio e ansiava por ter seus filhos em seu colo. Enquanto estava ali sentada, apareceram dois grandes pássaros, um cisne e um grou, que se colocaram ao lado dela e imploraram para que ela os nutrisse, no lugar de seus filhos, que haviam sido levados embora. E quando, pela bondade de seu coração, ela fez isso, eles se transformaram em dois bonitos príncipes, e a montanha se transformou no mais esplêndido castelo real, com cortesãos e estábulos bem cheios, muito ouro e muita prata e tudo o que um castelo deveria ter. Os dois príncipes haviam sido encantados e nunca teriam se libertado do encantamento se não tivessem encontrado uma rainha desolada, que em sua dor os tivesse nutrido como faria a seus próprios pequeninos perdidos. Então a rainha ficou no castelo com o rei Stork e o rei Crane, que, agora que haviam sido libertados, queriam se casar com ela.

Enquanto isso, o rei Dragão chegou em casa e perguntou por sua rainha.

— Ah — disse a velha rainha —, era tudo o que faltava você perguntar por ela! Que bom companheiro você é! Você sequer se lembrou de que ela o resgatou das mais profundas misérias e teve a coragem de nos escrever ordenando queimar ela e os filhos na fogueira! Você deveria ter vergonha de si mesmo!

— Não! — disse o rei Dragão — Vocês me escreveram dizendo que, em vez de dois filhos, ela me deu dois filhotes de foca, e eu escrevi de volta dizendo para deixar as criaturas viverem até que eu chegasse em casa!

Houve muita conversa e, finalmente, descobriram que o Cavaleiro Vermelho havia sido o traidor. Eles o agarraram, e ele teve de confessar. E, quando confessou, foi colocado em um barril cravado de pregos, ao qual foram presos quatro cavalos, que galoparam com ele sobre colinas e vales.

O rei ficou cheio de tristeza por causa de sua esposa e filhos, especialmente quando descobriu que eram dois belos meninos. Mas a velha rainha lhe disse:

— Não se preocupe com as crianças. Elas estão sendo bem cuidadas, porque eu as entreguei a uma ama. Mas, quanto à sua esposa, não sei o que aconteceu com ela. Dei-lhe alguma comida e dinheiro e disse-lhe para se esconder na floresta, e desde então não tenho notícias dela.

O rei ordenou que as crianças fossem trazidas de volta ao castelo. Depois, pegou comida e dinheiro e foi para a floresta procurar por sua esposa. Ele vagou por três dias, mas não encontrou nenhum vestígio dela. Quando encontrava alguém na floresta, perguntava-lhes se haviam visto uma donzela desconhecida entrar na floresta. Mas ninguém a vira. Por fim, ele chegou ao castelo na floresta e decidiu entrar e ver as realezas que viviam nele. No momento em que entrou, ele viu sua jovem rainha, e ela o viu. Mas ela estava com medo de que ele tivesse vindo para queimá-la e fugiu. Então os dois príncipes chegaram, e todos começaram a conversar e se tornaram bons amigos. Eles convidaram o rei Dragão para ficar para jantar. O rei disse que eles tinham uma donzela bonita em seu castelo e perguntou de onde ela teria vindo, e os príncipes responderam que ela era realmente muito gentil e que os libertara do encantamento. Então o rei Dragão quis saber de que tipo de encantamento ela os havia libertado, e eles contaram a história toda. Ele disse que também gostava dela e perguntou se não podiam chegar a um acordo sobre qual deles deveria se casar com ela. E deu a ideia de colocar muito sal no jantar, e qualquer um que ela convidasse para beber com ela seria o escolhido. Os dois príncipes ficaram contentes com essa proposta, pois assim poderiam decidir imediatamente qual deles tomaria a mão dela, pois não acreditavam que ela pediria ao estranho que bebesse com ela.

Então eles foram jantar, e logo ela disse:

— Parece-me que o jantar está muito salgado. O rei Cisne senta perto de mim. O rei Grou é gentil comigo. Rei Dragão, beba comigo!

O rei Dragão imediatamente pegou a caneca de prata e bebeu à saúde dela, e os outros beberam à sua própria saúde, embora não tenham ficado muito satisfeitos. Mas o rei Dragão contou a eles como ela o libertara do encantamento antes de libertá-los. Os dois príncipes disseram que ele deveria ter dito a eles imediatamente, pois teriam entregue a rainha a ele. Mas o rei Dragão respondeu que não podia ter certeza disso.

Então o rei Dragão voltou para casa com sua rainha, e as crianças também foram trazidas para casa nesse meio tempo. O rei Cisne manteve o palácio na floresta e se casou com uma princesa de outro reino. E o rei Grou foi para outra terra e se casou por lá. O rei Dragão e sua rainha foram muito estimados por toda a vida e viveram felizes e tiveram muitos filhos.

Lendas

AS RENAS NO FOLCLORE SÁMI

As renas sempre ocuparam um lugar especial nas histórias e tradições do Ártico, desde os Sámi, no norte da Escandinávia, até pessoas de todo o mundo.

Mais do que apenas uma fonte de alimento e peles, as renas sempre fizeram parte dos mitos e contos dos povos do Norte. Os Sámi — ou lapões, um povo que habita a Lapônia, região ao norte do mundo que abrange principalmente a Finlândia, a Noruega, e a Suécia — têm as renas como uma imagem comum em suas lendas e contos populares. As histórias vão desde fábulas até contos épicos de deuses e homens.

Algumas lendas Sámi contam de onde as renas vieram e por que algumas são selvagens e outras não. Uma delas diz que havia duas renas pertencentes a duas irmãs. As renas vagavam pela natureza, mas sempre voltavam, para que as irmãs pudessem cuidar delas e alimentá-las. Enquanto uma irmã era gentil e cuidava de seu animal com amor e dedicação, a outra era cruel e mal alimentava a sua rena. Um dia, a rena que era constantemente maltratada se cansou e fugiu, prometendo nunca mais voltar. As renas selvagens descendem dessa rena, e as renas mansas e domesticadas são da linhagem da outra, que sempre fora tratada com carinho e atenção.

Outra lenda conta que o Sol tinha um rebanho de renas cósmicas que o puxavam em um trenó ao redor do mundo, fazendo com que as estações do ano existissem. No início do ano, na verdade, o trenó era puxado por uma Rena-Urso muito forte, o que tornava o Sol brilhante e poderoso, mas, com o passar dos meses, ele substituía o urso por uma Rena-Touro, depois por uma Rena-Vaca, o que fazia com que, à medida que o ano avançava, o Sol ficasse cada vez mais fraco, até desaparecer completamente no inverno. Conta-se que a filha do Sol, Njaveseatni, não se interessou por nenhum pretendente celeste e casou-se com um homem da Terra, e de seu dote fazia parte o rebanho de renas do Sol.

Existe também uma lenda Sámi que conta sobre uma constelação no céu noturno: um caçador com seu arco apontado para a rena cósmica, em uma caçada eterna. Quando a flecha finalmente atingisse a rena e o animal caísse morto, o mundo como o conhecemos terminaria.

Somente as melhores e mais belas renas eram sacrificadas pelo grande espírito das renas. Uma das tradições mais antigas era pegar os chifres das renas e pendurá-los no topo da "seita", um altar feito de pedras ou troncos de árvores onde as pessoas faziam sacrifícios.

O espírito das grandes renas era visto como uma rena branca ou um híbrido entre um homem e uma rena. Paralelamente, em muitas outras culturas, também havia divindades que tiveram chifres, como o Cernunnos, nos mitos celtas, e o deus pastor Pan, nas lendas gregas. Para os Sámi, tudo na natureza — especialmente nos animais — era sagrado, e todas as partes das renas tinham propriedades mágicas. Isso incluía a pele, o pelo, o leite, a carne, os cascos e principalmente os chifres, porque apontavam para o céu e estavam diretamente conectados ao universo. Nos rituais, o xamã vestia um casaco feito de pele de rena e usava chifres na cabeça, uma maneira de se conectar com o grande espírito das renas.

O povo Sámi tinha um relacionamento muito próximo com a natureza, e os ossos, em particular, eram vistos como algo mágico. As crianças Sámi eram ensinadas que, quando encontravam um animal morto, deveriam coletar todos os ossos e enterrá-los; assim, quando o esqueleto estivesse completo, o animal poderia continuar sua vida após a morte.

LENDAS SOBRE A AURORA BOREAL

Atualmente, sabemos que a aurora boreal é causada pelo campo magnético da Terra. Mas você pode imaginar o quão difícil era explicar esse fenômeno séculos atrás? Diversos povos do norte tentaram explicar de diferentes formas o que viam, alguns como algo positivo e outros como algo negativo.

HERÓIS ILUMINANDO O CÉU

Odin era o deus principal e governante de Asgard, reverenciado por todos os *vikings*. Eles acreditavam que ele morava em Valhalla, onde estava se preparando para o Ragnarok — a destruição do mundo. Para os *vikings*, o Ragnarok era predestinado e seria a maior batalha de Odin, por isso ele precisaria dos mais bravos guerreiros ao seu lado.

Odin escolheria os guerreiros que morreriam e se juntariam a ele em Valhalla. As valquírias — mulheres que guerreavam em seus cavalos, usavam armaduras e carregavam lanças e escudos — tinham a incumbência de levar para Valhalla os guerreiros escolhidos por Odin. Os *vikings* acreditavam que as luzes da aurora boreal que iluminavam o céu eram reflexos da armadura das valquírias que estavam levando os guerreiros para Odin.

AS RAPOSAS DE FOGO

Na Finlândia, as pessoas tentavam explicar a aurora boreal de muitas maneiras diferentes e criativas. Uma das explicações mais interessantes apresenta histórias sobre criaturas míticas: as raposas de fogo. De acordo com a lenda, elas eram raposas bonitas e brilhantes, com um rabo de fogo, e quem conseguisse pegar essas criaturas extraordinárias se tornaria rico e famoso.

Enquanto a raposa percorria as florestas, atingia com sua cauda ardente os troncos das árvores e a neve no topo delas, criando luzes que voavam para o céu. Esses brilhos iluminam o céu como aurora boreal ou "revontulet", como eles chamam no idioma finlandês. Na verdade, essa história era tão vívida que, na Finlândia, a palavra "revontulet" se traduz literalmente em "incêndios de raposas".

A PRÓXIMA COLHEITA

Na Suécia, a aurora boreal era frequentemente vista como um sinal de boas notícias. Em alguns lugares do país, acreditava-se que o fenômeno fosse o reflexo da luz de grandes cardumes de arenque e um bom presságio para os pescadores locais e a comunidade agrícola para a próxima colheita.

No folclore islandês, acreditava-se que a aurora boreal ajudava a aliviar a dor do parto, mas as mulheres grávidas não deveriam olhar diretamente para ela ou o filho nasceria vesgo. Na Groenlândia, as pessoas acreditavam que as luzes eram os espíritos das crianças que haviam morrido no parto e estavam agora dançando no céu. Na Noruega, acreditava-se que as luzes do Norte eram as almas das velhas damas dançando no céu e acenando para aqueles que estavam aqui embaixo.

Para os Sámi, o povo finno-úgrico indígena, as luzes não contavam histórias de heroísmo e bravura; pelo contrário, deveriam ser temidas, pois o aparecimento da aurora boreal era um mau presságio.

O povo Sámi acreditava que as luzes eram as almas dos mortos. Para eles, não se deveria falar sobre a aurora, muito menos apontar e acenar para o céu ou fazer qualquer movimento que chamasse a atenção, pois, dessa forma, as luzes poderiam perceber sua presença, descer e levá-lo para os céus. Alguns acreditavam que a aurora boreal poderia baixar dos céus e cortar sua cabeça! Até hoje, muitos Sámi preferem ficar dentro de casa quando as luzes do Norte estão iluminando o céu.

A PELE DA FOCA

Sean era um pescador, assim como seu pai fora antes dele. Sean costumava passar seus dias trabalhando no mar, e o trabalho era fácil para ele, pois estava no sangue da família. O rapaz levava uma vida muito simples, mas estava sempre sozinho.

Os barcos de pesca retornavam às docas todas as noites, e os pescadores os escoravam, separavam os peixes, dobravam as redes e depois corriam para a vila, onde suas famílias esperavam por eles.

No entanto, Sean voltava para casa sozinho. Ele via a fumaça subir das chaminés das cabanas, onde as famílias estavam reunidas, mas ele não tinha esposa ou família e seu chalé era escuro, frio e vazio. Por isso, ele caminhava demoradamente ao longo da costa rochosa sob a luz do luar.

Não, Sean não era feliz. A vida em terra era solitária e sem sentido para Sean. Ele gostava de remar em seu barco nas ondas e de pescar à noite.

"O mar tem magia e mistério e guarda muitos segredos", dizia o pai. Sean ouvira as lendas muitas vezes. Conhecia histórias sobre sereias, serpentes mágicas e espíritos do mar. Eles viviam em um mundo submarino e raramente se mostravam ao povo da terra. O pai de Sean costumava apontar para as focas na praia e contar histórias sobre aquele povo. Ele dizia que algumas focas eram pessoas comuns debaixo das peles e que podiam retirar a pele lisa como se fossem roupas.

"Veja como os olhos deles são grandes e redondos. Eles se parecem com os nossos. Eles são como nós!" Essas eram as histórias que todos os pescadores contavam aos filhos. No entanto, Sean não acreditava em lendas.

Todavia, uma noite, enquanto caminhava, Sean ouviu vozes altas e risadas alegres. Ele caminhou em direção aos sons e, espreitando por cima das pedras, viu três jovens. Elas dançavam em uma rocha plana ao lado das ondas e cantavam com vozes claras. Eram as mulheres mais bonitas que Sean já vira.

O rapaz escalou as pedras e foi na direção delas. Ao se aproximar, pisou em algo macio e solto. Então ele as chamou.

As mulheres pararam imediatamente de dançar e desceram das rochas. Duas delas deslizaram para dentro de suas peles, escorregaram pela rocha e entraram no mar, mas a terceira mulher correu em direção a Sean. Ela viu a pele macia nas mãos dele e sorriu para ele.

— Você deve escolher — disse ela. — Você pode devolver minha pele ou me vestir. Se devolver minha pele, nunca mais me verá. Mas, se me der roupas, serei sua esposa.

O rapaz segurava a pele da foca encostada ao peito e estava deslumbrado com a beleza da moça.

— Você é uma foca? — ele perguntou à mulher bonita.

— Sim, sou uma foca quando estou na pele — respondeu ela. — Quando estou sem pele, sou uma pessoa, e sou como você.

Sean colocou o casaco em volta da mulher para mantê-la aquecida, olhou nos olhos dela e disse:

— Vou lhe dar uma vida maravilhosa aqui em terra. Você terá uma casa na vila, terá filhos e tudo que desejar ou precisar. Mas deve prometer ficar aqui para sempre. Você precisa prometer que nunca vai retornar à sua vida no mar.

— Eu prometo — disse ela. — Pegue a pele e tranque-a. Vou usar um vestido.

Sean se inclinou sobre um joelho.

— Você quer se casar comigo? — ele perguntou.

— Sim — respondeu a mulher bonita. — Eu quero.

Então Sean a levou para sua casa solitária. Ele acendeu a fogueira, e a moça se aqueceu. Depois ele guardou a pele de foca no baú e escondeu a chave.

A mulher queria saber muitas coisas. Ela fazia muitas perguntas a Sean sobre a vida na vila.

— As pessoas amam suas famílias — disse Sean. — As crianças são importantes. O trabalho é importante. Cantar e dançar também são coisas importantes.

— É o mesmo com as pessoas do mar. Nós amamos nossas famílias, trabalhamos, cantamos e dançamos — disse ela e sorriu com o pensamento.

A mulher bonita continuou:

— Eu sempre quis morar entre os moradores da terra, que ainda é um mistério para mim. Minha nova vida com você será uma aventura.

— Você precisará de um nome— disse Sean.

— Eu tenho um nome — disse ela. — É Mara.

Mara amava sua vida em terra. Ela amava Sean e adorava ser sua esposa. Aos poucos, ela também se afeiçoou às pessoas da vila. Aprendeu o nome delas e seus costumes e também as histórias que elas contavam.

— É estranho — disse Mara. — Os moradores contam histórias sobre as pessoas do mar, e meu povo conta histórias sobre o povo da terra.

Depois de algum tempo, Sean e Mara tiveram uma filha, à qual deram o nome de Sela. Ela tinha olhos grandes e redondos como os da mãe e era também muito linda. E, assim como a mãe, Sela amava o mar.

Vários anos se passaram. Mara e Sela iam passear no cais todos os dias e acenavam para Sean enquanto ele remava para o mar. Mara observava Sean remar através das ondas e depois, quando ele já estava bem longe, passava um bom tempo olhando para o oceano com uma expressão triste. Ela sentia falta do seu povo. Sentia falta do mar.

Um dia, Sean chegou em casa e encontrou Mara chorando.

— Por que você está chorando? — Sean perguntou.

— Eu amo você e Sela — respondeu Mara. — Mas sinto falta da minha família. Sinto falta das pessoas do mar.

— Mas somos sua família — disse Sean. — E você prometeu ficar.

— Sinto muito — disse Mara. — Não pensei que me sentiria assim. Eu não estava destinada a viver em terra. Sinto necessidade de nadar nas águas profundas e frias e de me mover com a maré.

Então, cheio de tristeza, Sean puxou uma chave velha e enferrujada do bolso. Ele a segurou por um momento e depois a colocou nas mãos de Mara. Ela segurou a chave, deu um beijo em Sean e correu para o galpão. A pele de foca estava cuidadosamente dobrada dentro do baú. Mara a vestiu e mergulhou na água, sentindo-se feliz novamente, e desapareceu por completo.

Depois de algum tempo, quando Sean foi pescar. Uma foca apareceu e começou a nadar em volta de seu barco. Parecia que as lágrimas escorriam dos olhos dela. Desde então, aquele homem sempre teve boa sorte em suas pescarias.

Sean e Sela caminhavam pela praia todas as noites olhando para o oceano. Sean contava à filha histórias sobre o mar. Às vezes, enquanto estavam caminhando, viam uma foca nadar não muito longe deles e, quando estavam perto da água, a foca jogava peixinhos dos mais diferentes e belas conchas do mar para Sela. Eles sabiam que era Mara, por causa de seus olhos lindos e felizes. Mas a mãe dela nunca voltou.

POR QUE O MAR É SALGADO

Certa vez, há muito, muito tempo, havia dois irmãos, um rico e mesquinho e um pobre e humilde. Em uma véspera de Natal, o irmão pobre não tinha nada em casa para comer, nem carne nem pão. Então ele foi bater à porta da enorme mansão do irmão para pedir-lhe algo para passar o Natal. Não era a primeira vez que seu irmão precisava ajudá-lo, e ele não ficou muito feliz ao ver o irmão pobre, mas disse:

— Se você fizer o que eu peço, eu lhe darei uma peça inteira de presunto.

Então o irmão pobre disse que faria qualquer coisa e se desfez em agradecimentos.

— Bem, aqui está o presunto — disse o irmão rico. — Pegue esse presunto e vá para o inferno. — E, dizendo isso, empurrou o irmão pobre para fora de sua casa.

— O que prometi devo cumprir — disse o outro.

Então ele pegou a peça de presunto e partiu. Ele andou o dia inteiro e, ao entardecer, chegou a um lugar onde viu uma luz muito forte.

— Talvez este seja o lugar — disse o homem para si.

Então ele olhou ao redor, e a primeira coisa que viu foi um velho com uma longa barba branca, que estava em um galpão cortando lenha para o fogo de Natal.

— Boa noite — disse o homem com o presunto.

— O mesmo para você! Para onde você vai tão tarde? — perguntou o homem.

— Ah! Estou indo para o inferno, mas não sei o caminho certo — respondeu o pobre homem e explicou ao velho o que havia acontecido.

Então o velho disse:

— Bem, você não está muito errado, pois isso aqui é o inferno — comentou o velho, que pensou um pouco e disse: — Escute, vá até a ilha dos anões. Eles adoram presunto, e você pode tentar trocá-lo por um moinho que eles têm atrás da porta. O moinho deles é mágico. Se você conseguir, poderá ter o que quiser.

Então o pobre homem ouviu o conselho do velho e foi até a ilha dos anões.

Quando chegou, tudo correu exatamente como o velho havia dito. Todos os anões vieram correndo até ele como formigas ao redor de um formigueiro, e cada um tentou oferecer mais do que o outro pelo presunto.

— Bem! — disse o homem. — A verdade é que minha velha e eu iríamos comer esse presunto no nosso jantar de Natal. No entanto, como todos vocês se interessaram por ele, acho que podemos fazer um acordo. Pela peça inteira de presunto, quero em troca aquele moedor que está atrás da porta.

A princípio, os anões não quiseram dar ouvidos a tal barganha e pechincharam com o homem, mas ele manteve o que disse e, finalmente, os anões, com água na boca, concordaram em se separar de seu moedor.

Então um dos anões disse ao pobre homem:

— Aqui está o moinho, senhor. Para ele moer, você deve dizer o que deseja que ele moa. Se quiser arroz, diga "Mói, moinho! Moa arroz!", e ele moerá o arroz. Quando tiver a quantidade necessária, você deve dizer "Obrigado moinho, obrigado".

Depois de ouvir as explicações do anão, o homem, muito contente com o resultado que acabara de conseguir, foi correndo para casa para contar a novidade à sua mulher, que, morrendo de fome, esperava o marido para a ceia de natal.

— Onde você estava? — perguntou sua velha esposa. — Estou aqui sentada há várias horas esperando, sem nada para poder fazer o mingau de Natal.

— Ah! — explicou o homem. — Eu não pude voltar antes porque tive de percorrer um longo caminho primeiro para uma coisa e depois para outra, mas agora você verá o que verá.

Então ele colocou o moedor sobre a mesa e primeiro moeu as luzes, depois uma toalha de mesa, depois a carne, depois a cerveja, e assim por diante, até que tivessem tudo o que precisavam para o Natal. Ele só precisava dizer as palavras mágicas, e o moedor fazia aparecer o que ele queria. A velha dama dava graças e não parava de perguntar onde ele havia conseguido esse maravilhoso moedor, mas ele não contou a ela.

— Não importa onde eu consegui, você vê que o moedor é bom e que o moinho nunca emperra, e isso é o suficiente.

Então ele moeu carne, bebida e guloseimas para durarem até o décimo segundo dia. No terceiro dia, ele convidou todos os seus amigos e parentes para virem à sua casa e deu um grande banquete. Mas, quando seu irmão rico viu tudo o que havia sobre a mesa e tudo o que havia na despensa, ficou bastante rancoroso e com raiva, pois não suportava que seu irmão tivesse alguma coisa.

— Não faz muito tempo, na véspera de Natal — disse ele aos outros —, ele estava em tal situação que veio me pedir um pouco de comida, e agora ele dá um banquete como se fosse conde ou rei.

Depois, virou-se para o irmão e perguntou:

Mas de onde, em nome do inferno, você tirou toda essa fartura?

— De trás da porta — respondeu o dono do moinho, que não queria revelar o segredo.

Mais tarde, porém, quando já havia bebido demais, ele não conseguiu mais guardar seu segredo. Então pegou o moinho e disse:

— Vejam o que me deu toda essa riqueza.

E assim ele fez o moinho moer todo tipo de coisa.

Quando o irmão viu aquilo, procurou de todas as maneiras conseguir o moinho para si e, depois de muitas tentativas, finalmente conseguiu. No entanto, ele teve de pagar trezentos dólares por ele e concordar com a condição que o irmão impôs: o irmão pobre ficaria com o moinho até a colheita do feno, pois pensou que, se continuasse moendo as coisas até lá, poderia moer carne e bebida que durariam anos. Portanto, o moinho não ficou enferrujado por falta de trabalho. Quando chegou a colheita do feno, o irmão rico foi buscá-lo, mas o outro teve o cuidado de não ensiná-lo a lidar com ele.

Já era noite quando o irmão rico chegou em casa. Na manhã seguinte, ele disse à esposa que fosse trabalhar no campo de feno enquanto os cortadores de grama cortavam a grama, e ele ficaria em casa e prepararia o jantar. Então, quando chegou a hora do jantar, ele colocou o moinho na mesa da cozinha e ordenou:

— Moa arenques e caldo, e moa-os bem e rápido.

Então o moinho começou a moer arenques e caldo. Primeiro, todos os pratos ficaram cheios, depois todas as vasilhas, e assim por diante, até o chão da cozinha ficar completamente coberto. Então o homem chacoalhou e girou o moinho para fazê-lo parar, mas, apesar de todos os seus esforços, o moinho continuava a moer. Em pouco tempo, o caldo já subia tão alto que o homem estava prestes a se afogar. Então ele abriu a porta da cozinha e correu para a sala de estar, mas não demorou muito para que o moinho deixasse também a sala cheia, e ele precisou arriscar sua vida para conseguir chegar até a tranca da porta da sala em meio ao rio de caldo. Quando conseguiu abrir a porta, saiu correndo pela estrada, com o rio de arenques e caldo em seus calcanhares rugindo como uma cachoeira por toda a fazenda.

A esposa, que estava no campo trabalhando no feno, achou que estava demorando muito tempo para o jantar e, finalmente, disse:

— Bem! Embora o mestre não nos tenha chamado, acho que devemos ir. Talvez ele esteja com dificuldade para ferver o caldo e fique feliz com a minha ajuda.

Os homens estavam famintos, então tomaram o caminho de casa. No entanto, assim que subiram um pouco a colina, depararam-se com aquele mundo de arenques, caldo e pão que descia a colina correndo e formando um riacho, e o próprio mestre correndo na frente daquilo tudo, tentando salvar a própria vida. Ao passar por eles, ele berrou:

— Que o céu permita que cada um de vocês tenha cem gargantas! Mas tomem cuidado para não se afogar no caldo.

E lá se foi ele correndo, como se o próprio demônio estivesse atrás dele, para a casa de seu irmão. Lá chegando, implorou que, pelo amor de Deus, ele pegasse de volta o moinho naquele mesmo instante, e ele disse:

— Se ele moer apenas mais uma hora, toda a paróquia será engolida por arenques e caldo.

No entanto, o irmão não quis ouvir falar em pegar o moinho de volta até que o outro prometesse pagar mais trezentos dólares.

Assim, o irmão pobre recebeu o dinheiro e o moinho, e não demorou muito para ele montar uma casa muito melhor do que aquela em que seu irmão vivia. Depois, ele moeu muito ouro e cobriu a casa com placas de ouro. E, como a fazenda ficava à beira-mar, a casa dourada brilhava e cintilava muito longe sobre o mar. Todos os que navegavam por ali desembarcavam para ver o homem rico da casa de ouro e o maravilhoso moinho, cuja fama já havia se espalhado por toda parte, e já não havia alguém que nunca tivesse ouvido falar dele.

Então, um dia, chegou um marinheiro querendo ver o moinho, e a primeira coisa que ele perguntou foi se ele poderia moer sal.

— Moa sal! — disse o dono. — Eu acho que poderia, já que pode moer qualquer coisa.

Quando o marinheiro ouviu isso, prometeu a si mesmo que o moinho seria dele, custasse o que custasse, pois, se o tivesse, poderia livrar-se de suas longas viagens pelos mares tempestuosos em busca de um carregamento de sal. A princípio, o homem não quis ouvir falar de se separar do moinho, mas o capitão implorou e orou com tanta força que, finalmente, ele concordou em deixá-lo ficar com ele, desde que pagasse muitos milhares de dólares por isso. Assim que o marinheiro colocou as mãos no moinho, ele logo fugiu, pois tinha medo de que o homem mudasse de ideia. Por isso ele não teve tempo de perguntar como lidar com o moinho. Ele embarcou no navio o mais rápido que pôde e partiu. Quando já havia percorrido um bom caminho, ele trouxe o moinho ao convés e disse:

— Moa sal e moa rápido.

O moinho começou a moer sal e a derramá-lo como água. Quando o navio do marinheiro já estava cheio, ele quis parar o moinho, mas, o que quer que fizesse, e por mais que tentasse, nada adiantava. O moinho continuava moendo, e o monte de sal aumentava cada vez mais, até que finalmente afundou o navio.

O moinho hoje jaz no fundo do mar e mói até hoje, e é por isso que o mar é salgado.

O BAÚ DE SKÓGAFOSS

Skógafoss é uma das maiores cachoeiras da Islândia, com queda de 62 metros e largura de 25 metros.

Essa é apenas uma das muitas cachoeiras do rio Skógá. Existem mais de 20 outras cachoeiras menores nesse rio, acima de Skógafoss, que também podem ser exploradas.

Há uma lenda sobre um tesouro que teria sido escondido em Skógafoss. A história conta que, por volta dos anos 900 d.C., Þrasi Þórólfsson, um colono *viking* em Skógar (Eystriskógar), escondeu um baú de tesouros ali e disse que o primeiro homem que o encontrasse teria muita sorte. A lenda é assim:

O primeiro colono em Skógar se chamava Þrasi Þórólfsson. Conta-se que ele era um grande guerreiro, muito inteligente e com habilidades sobrenaturais. Þrasi teve uma briga com Loðmundur, que morava em Sólheimar, a leste do rio Jökulsá.

Os dois homens tinham poderes mágicos, e a disputa entre os dois foi se tornando cada vez mais rancorosa. Um após o outro, eles desviaram o rio Jökulsá, um rio extremamente malcheiroso, sobre a terra um do outro, e a movimentação acabou causando a desertificação do solo e criando as terras desertas de Sólheimasandur e Skógasandur.

Por fim, eles perceberam que nenhum dos dois poderia vencer a disputa, então se encontraram no meio do caminho e concordaram que o rio deveria fluir pelo caminho mais curto para o mar.

Conta-se que sempre há um turbilhão nesse rio e que uma onda tenta subir subi-lo enquanto a outra tenta descê-lo, e a história diz que essa particularidade do rio se dá em razão da briga entre Þrasi e Loðmundur.

Þrasi de Skógar era um homem muito rico. Quando já estava velho e sentindo que a morte se aproximava, decidiu que não queria que sua riqueza fosse dividida. Então colocou todo o seu dinheiro e seus bens valiosos dentro de um baú e o escondeu em uma das cavernas que ficam por trás da cachoeira de Skógafoss. Lá o baú permaneceu século após século: durante muito tempo, a tampa do baú podia ser avistada por detrás da cachoeira.

Ao longo dos tempos, muitas pessoas tentaram resgatar o baú, mas nenhuma teve sucesso. Uma vez, o baú parecia estar muito próximo, e alguns homens corajosos conseguiram passar uma corda por um anel na extremidade do objeto. Eles começaram a levantar o baú, e tudo parecia estar correndo bem no início, mas, de repente, o anel se soltou e o baú desapareceu nas profundezas. Tudo o que restou foi o anel, que eles levaram de volta a Skógar.

Existia uma igreja em Skógar e tiveram a ideia de encaixar o notável anel na porta dela. Em 1890, contudo, a igreja Skógar foi desconsagrada e demolida. O anel foi levado a Eyvindarhólar e colocado na porta de outra igreja, que também foi demolida. O anel então foi para o Museu Folclórico de Skógar, onde está em exibição.

O MONSTRO DO LAGO LAGARFLJÓT

Nas profundezas do lago Lagarfljót vive um monstro, o equivalente islandês ao monstro do Lago Ness. Esse monstro é conhecido como Lagarfljótsormurinn, a serpente Lagarfljót, e esporadicamente é avistado pelos habitantes locais. Ele é descrito como mais longo que um ônibus e é normalmente visto dentro do lago, embora também já tenha havido relatos de pessoas que o viram fora da água, deitado enrolado ou escorregando nas árvores. Atualmente, existem até tours para curiosos que gostariam de conhecer o lago e tentar ver o monstro. Se você for à Islândia e passar perto de Lagarfljót, cuidado!

Eis a lenda do monstro:

Existiu uma vez uma mulher que vivia em uma fazenda, em Hérað, que fica perto do lago Lagarfljót. Ela tinha uma filha moça, a quem deu um anel de ouro. A menina um dia perguntou:

— Como posso tirar o máximo proveito desse ouro, mãe?

— Coloque-o debaixo de uma isca de peixe — respondeu a mãe.

A garota pegou uma minhoca, colocou o anel de ouro debaixo dela e guardou tudo em um cofre.

A minhoca ficou lá por alguns dias. Quando a menina abriu o cofre, a minhoca havia crescido, e o cofre começava a se despedaçar. A garota ficou assustada, pegou o cofre e o jogou no lago.

Depois de alguns anos, as pessoas começaram a notar que uma serpente habitava o lago e que ela devorava pessoas e animais que tentassem atravessá-lo. Às vezes, ela se aproximava das margens do lago, e de sua mandíbula jorrava um veneno terrível.

Os islandeses não sabiam como resolver essa situação terrível e pediram a ajuda de dois finlandeses para matar o monstro e recuperar o ouro. Os dois finlandeses pularam no lago, mas logo reapareceram. Eles disseram que se tratava de um ser de força superior o qual não conseguiriam matar e que havia outro monstro ainda maior lá embaixo. A única opção que lhes restou foi tentar amarrar o monstro com duas cordas, prendendo uma atrás das nadadeiras, e a outra, ao redor da cauda.

Desde então, o verme não tem sido capaz de matar pessoas ou animais, mas de tempos em tempos sua cauda cresce e, quando isso acontece, ele é avistado. Muitos consideram essa visão uma premonição de maus acontecimentos.

CURIOSIDADES NÓRDICAS

A mitologia nórdica é carregada de curiosidades, além dos contos tão popularizados por meio das produções de filmes, séries, *games*, HQs e livros em todo o mundo e que trazemos neste boxe.

As lendas e personagens em questão têm tamanha importância cultural, sobretudo nos países nórdicos, que não inspiraram apenas outras produções no campo da ficção. Personagens e elementos dessas narrativas foram materializados em patrimônios contemporâneos em países como Islândia, Finlândia, Noruega, Dinamarca e Suécia, e até mesmo passaram a ser cultuados religiosamente hoje, em doutrinas organizadas recentemente e que vêm ganhando cada vez mais adeptos.

Confira a seguir algumas dessas curiosidades de elementos da história nórdica.

BLUETOOTH

A tecnologia Bluetooth de comunicação sem fio, que permite a transmissão de dados entre dispositivos, está relacionada às runas e a um rei da Dinamarca! Você imagina como isso é possível? Vamos lá!

Jim Kardach, que auxiliou na criação do Bluetooth Special Interest Group (SIG), um consórcio entre seis empresas (Toshiba, IBM, Ericsson, Nokia, Intel e Sony) realizado em 1998, com o fim de desenvolver a tecnologia, explica de onde vieram o nome e o logotipo.

O nome "bluetooth" homenageia o rei da Dinamarca Harald Blåtand, cujo nome em inglês traduz-se para Harold Bluetooth, ou seja, "Harold Dente Azul". Harold, assim como a tecnologia que levou seu nome, unificou a região da Escandinávia tal como o Bluetooth, que interligou as comunicações entre diferentes dispositivos.

Crenças populares contavam que o monarca tinha de fato uma cor azulada nos dentes, o que o levou a ter esse cognome. Outra teoria acerca de seu nome é de que Blåtand seria a união das palavras "Blå", cujo significado é "homem de tez escura", e "tan", que seria "homem notável".

Além do nome, o logotipo traz um significado: o "B" diferenciado do símbolo azul da marca é a união de duas runas nórdicas para as letras H (*Hagalaz*) e B (*Berkana*), as iniciais de Harold Blåtand (ou Harold Bluetooth).

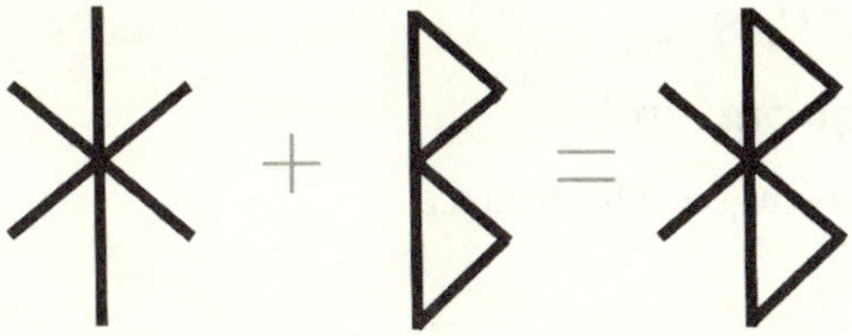

A princípio, o nome para a tecnologia seria temporário, apenas para suprir a necessidade de se usar um termo comum entre as seis empresas, até a equipe de *marketing* criar outro que seria oficial. No entanto, manteve-se "bluetooth", pelo fato de a denominação ter ficado famosa na imprensa. Dessa forma, a marca Bluetooth foi oficializada.

Em frente à sede da Ericsson (uma das seis empresas do SIG), em Lund, na Suécia, foi colocada, em 1999, uma pedra em formato de runa em homenagem a Harald.

Pedra em homenagem a Harald Bluetooth, em frente à sede da Ericsson, na Suécia.

ESTÁTUAS

A pequena sereia

Copenhague, Dinamarca

Em Copenhague, na Dinamarca, foi construída, sobre uma rocha da baía, uma estátua de bronze de 1,25 m da personagem *A Pequena Sereia,* criada por Hans Christian Andersen. O artista que a esculpiu foi Edvard Eriksen, em 1913.

A estátua sofreu alguns danos desde que foi instalada. Em 1964, em um ato de vandalismo, teve sua cabeça roubada e substituída por outra equivalente. Foi novamente roubada em 1998, mas desta vez os criminosos devolveram a peça. Já em 1984 teve um dos braços cortado.

A estátua *A Pequena Sereia* tornou-se um dos símbolos mais emblemáticos da Dinamarca, tal como a *Torre Eiffel* para a França e a *Estátua da Liberdade* para os Estados Unidos. Uma única vez a estátua deixou a capital dinamarquesa: quando, em 2010, foi exposta no pavilhão dinamarquês da Exposição Universal de Xangai.

Em 2013, foi comemorado o centenário do monumento, e cem nadadoras se apresentaram no espetáculo de aniversário.

A pele da foca

Mikladalur, Ilhas Faroé (território dinamarquês)

Conforme a lenda que você pode conferir na página 219, dizia-se que havia um povo que vivia como foca quando estava na água e que, na terra, arrancando a pele que os transformava em foca, tornavam-se humanos.

Em homenagem à personagem principal do conto, foi construída a estátua *A Mulher Foca de Mikladalur* na pedra onde ela era avistada na aldeia.

O monumento foi feito em bronze pelo escultor feroês Hans Pauli Olsen.

O "povo foca" é visto, em algumas regiões nórdicas, como seres humanos com amor platônico que se afogaram no mar e foram condenados a viver como focas. Em outras, diz-se que são espíritos de alguns afogados que retornaram como focas e, até mesmo, anjos caídos (neste caso, seriam fadas se caíssem na terra e focas se caíssem na água).

ÁSATRÚ: NOVA RELIGIÃO QUE CULTUA THOR, ODIN E FREYA

Islândia

Em islandês, "Ásatrú" significa fé ou crença nos deuses. Denomina um novo movimento de paganismo germânico moderno que resgata rituais e religiosidades pré-cristãs dos povos nórdicos, especialmente da Islândia.

A Ásatrú é uma religião politeísta – na Islândia, as divindades mais populares são Thor, Freya e Odin. A filosofia do movimento promove a tolerância e as liberdades individuais, e as celebrações mais importantes são feitas nos solstícios de verão e de inverno e nos dois equinócios.

Nos últimos anos, tem crescido o número de seguidores da Associação Ásatrú, tratando-se da religião que se encontra em maior ascensão no país islandês, que tem o luteranismo como religião oficial.

Segundo a BBC, 70% da população da Islândia é seguidora da Igreja Luterana, mas o número de islandeses que aderiram à religião neopagã Ásatrú cresceu, dentro de três anos (de 2014 a 2017), o equivalente a 50% de fiéis. Em uma década, o número praticamente quadruplicou. Enquanto em 2005 só havia 879 seguidores da Associação Ásatrú, em 2017 já eram 3.583 fiéis e, em 2018, 4.473 fiéis. Tal número segue crescendo, e o manual de poesia islandesa medieval da *Edda* Poética é a principal fonte dos praticantes da organização neopagã na Islândia.

As divindades da mitologia nórdica resgatadas atualmente foram adoradas até o ano 1.000, quando o país abandonou o paganismo e adotou o luteranismo. A Associação Ásatrú, apesar de não ter alguns conceitos tão bem delimitados, segue tradições do folclore local e recita as Sagas da Islândia em suas reuniões.

O compositor Hilmar Orn Hilmarsson, conhecido por seus trabalhos musicais com a banda Sigur Rós e com a cantora Björk, é a maior autoridade da Associação Ásatrú hoje, tendo sido eleito sumo-sacerdote em 2003.

Um dos conceitos mais importantes da religião é o respeito à natureza, sendo a preocupação com o meio ambiente algo presente desde o princípio, antes mesmo de a ecologia e a sustentabilidade serem algo tão debatido publicamente, o que, para Hilmar, tem atraído as pessoas para a fé.

Apesar de não serem engajados politicamente, o grupo Ásatrú participou da campanha em favor do casamento entre pessoas do mesmo sexo, que foi legalizado na Islândia em 2010, e contra barragens hidrelétricas que fariam mal ao meio ambiente. No geral, mesmo não tendo delimitações tão propriamente fechadas, a Associação Ásatrú promove um "comportamento virtuoso".